Авантюрный детектив

Лучшее лекарство от скуки — авантюрные детективы Татьяны Поляковой:

Сериал «Анфиса и Женька — сыщицы поневоле»

Сериал «Ольга Рязанцева — дама для особых поручений»

Авантюрный детектив

Татьяна Полякова

Жестокий мир мужчин

Москва 2006

УДК 882
ББК 84(2Рос-Рус)6-4
    П 54

Оформление серии художника *С. Груздева*

П 54   **Полякова Т. В.**
       Жестокий мир мужчин: Повесть.— М.: Изд-
       во Эксмо, 2006.— 320 с. (Авантюрный детектив).

       ISBN 5-699-16196-1

   Красавица Анастаси не может поверить в то, что ее
муж — убийца. Сердце любящей женщины подсказывает ей, что кто-то другой совершил жестокое преступление, искусно подставив Илью. На свой страх и риск
Анастасия пытается восстановить события той роковой
ночи. К ее ужасу, все, с кем она встречается, трагически
погибают при весьма странных обстоятельствах. Но
ничто не в силах заставить ее прекратить поиски правды.
Она даже не подозревает, сколь жестокой и мучительной
окажется истина...

                                        УДК 882
                                        ББК 84(2Рос-Рус)6-4

Звонок поднял меня в час ночи. Я села в постели, провела по лицу ладонями, включила ночник и уставилась на телефон. Тяжело вздохнула, уже зная: звонивший весьма настойчив и не угомонится до тех пор, пока я не сниму трубку.

Я отбросила одеяло, сунула ноги в тапочки, прошлась до окна и обратно, косясь на телефон, он звонил с равными интервалами и явно не собирался заткнуться.

«Отключить бы его к чертовой матери», — подумала я и пошла в кухню искать сигареты.

Потом долго шарила по столу в поисках спичек, закурила, глядя в окно и слушая, как надрывается телефон.

— Настырный, сукин сын, — усмехнулась я.

Звонки уже по-настоящему действовали на нервы. Телефон на ночь следует отключать, этот тип всегда звонит ночью. Или под утро... Отключить, конечно, можно, но где гарантия, что он оставит меня в покое и не станет, к примеру, звонить в дверь, а может, придумает еще что-нибудь затейливое, чтобы сделать мое существование невыносимым. Телефон, по крайней мере, привычнее.

Я вернулась в комнату, еще раз вздохнула и сняла трубку.

— Я тебя не разбудил? — поинтересовался мужской голос.

Отвечать я не собиралась. Я просто слушаю этого идиота и никогда не произношу ни слова.

— Извини, если позвонил не вовремя. — В его голосе прозвучала откровенная издевка.

Я стала рассматривать фотографию на стене, это позволяет отвлечься и не обращать внимания на его слова. Впрочем, особенно разговорчивым он не был, вот и сегодня хохотнул и заявил с лютой ненавистью, неизменно меня удивлявшей:

— Тебе осталось две недели. Слышишь, сука?

Я закрыла глаза, потерла переносицу, ожидая, что он скажет еще.

— Две недели, — повторил он и повесил трубку.

Я прикурила новую сигарету и уставилась в пол, зябко ежась, с тоской думая о том, что уснуть уже не смогу, а это означало еще одну жуткую ночь и беспросветное одиночество.

— Сукин ты сын! — бросила я в сердцах, глядя на телефон, по-настоящему не испытывая к своему мучителю никакой ненависти. Нет, я рада, что хоть кто-то в этом городе еще ждет его и считает дни. Затушила сигарету, подошла к стене и коснулась пальцами лица на фотографии. — Я люблю тебя, — проронила жалобно. Господи, кому это интересно... — Я люблю тебя, — повторила уже тише и, конечно, заревела. А что я еще могу?

Сползла на пол, вытянула ноги и сжала ладонями виски. Последнее время это повторялось из ночи в ночь — сидение в углу, раскачивание из стороны в сторону и безуспешные попытки найти ответ: что же произошло тогда, пять лет назад? И сегодня, проделав все это, я завела привычную песню — глядя на фотографию, спросила жалобно:

— Как ты мог поверить, что я тебя предала?

Лицо с фотографии насмешливо улыбалось. Ладно, через две недели я получу ответ. Этот тип, кто бы он ни был, прав: осталось две недели.

Звонки начались год назад, второго июня. Уже несколько лет второе июня было самым страшным днем в моей жизни, и ничего хорошего я от этого дня не ожидала, и вдруг поздний звонок. Тогда впервые я услышала голос моего ночного мучителя.

— Через год он вернется, — с усмешкой напомнили мне тогда. — Тебе остался год, сука. Слышишь?

Потом он стал звонить каждое второе число, отсчитывая месяцы, потом звонки стали чаще: он считал недели.

Я тоже их считала: годы, месяцы, недели и дни. Их было так много, одинаково серых, тоскливых, без проблеска надежды.

— Ты не должен был верить... — в пустоту проронила я. Не должен? Кому, чему? О господи!..

Я прошла в кухню, достала коньяк из шкафчика, торопливо налила чуть меньше половины стакана, залпом выпила, постояла, пялясь в темноту за окном.

— Мне бы только прожить эти две недели. Две недели — это сущая ерунда, ей-богу. Четырнадцать дней и ночей. Всего-то...

Я вцепилась руками в подоконник и завыла, стиснув зубы и зажмурившись.

В первое время такое пугало, я всерьез боялась, что схожу с ума. Теперь стало привычным. Пальцы разжались, я судорожно вздохнула и открыла глаза.

— Две недели — это ерунда, — повторила сама себе с ухмылкой.

Телефон опять зазвонил. Я вздрогнула, постояла, прислушиваясь. Может, он изменил правила игры? Может... почему бы нет? Прошла в комнату и сняла трубку:

— Я слушаю.

— У тебя свет горит, — сказал Сашка. — Что, опять?

— Опять, — ответила я.

— Придушить бы этого сукина сына...

— У Ильи что, так много друзей?

— Хорош друг...

— Он его ждет, — вздохнула я. — Значит, друг. Ты многих знаешь, тех, кто ждет его?

— Успокойся, — попросил Сашка. — Я тебя прошу... Все будет хорошо. Через две недели он вернется, и все будет просто здорово. Я тебе клянусь...

— Конечно, — глотая слезы, согласилась я. — Конечно... все будет просто отлично, — швырнула трубку, схватила подушку и уткнулась в нее лицом.

Ключ в замке повернулся, дверь хлопнула, послышались торопливые шаги. Я приподняла голову и увидела Сашку. Он вошел, посмотрел на меня укоризненно и отправился в кухню. Мне было слышно, как хлопает он дверцами шкафчиков, потом он швырнул стакан в мойку и вернулся в комнату. Ночник освещал его снизу, придавая лицу что-то сумрачное, даже трагическое.

— Так... — Он собрался высказаться резко и даже зло, вместо этого вздохнул, сел рядом и взял мою руку. Осторожно поцеловал и прижал к своей щеке. — Бессонница и коньяк, — усмехнулся невесело. — Опять одно и то же.

Я высвободила руку и стала смотреть в потолок, предметы в тусклом свете ночника отбрасывали причудливые тени, и я порадовалась, что Сашка рядом со мной.

— Коньяк, это что — норма жизни? — недовольно проворчал он.

— Хочешь сказать — много пью? — хмыкнула я.

— Нет. Ты не пьешь. Ты себя в гроб вгоняешь. Ты не спишь ночами, пьешь, куришь до отупения и пялишься в потолок.

— Странно, да? — спросила я насмешливо. — На моем месте другая женщина веселилась бы до упаду. И спала бы по ночам сладко, точно младенец.

— Самое страшное позади, — помолчав, сказал он. — Осталось две недели. Две недели ты можешь выдержать? Без коньяка и ночных истерик?

— А что изменится через две недели? — жалобно спросила я, а Сашка пожал плечами.

— Он вернется.

— И что? — Я стиснула рот рукой, боясь, что опять разревусь.

Сашка долго смотрел на меня, очень долго, за это время я немного успокоилась, прикрыла ладонью глаза от света и стала смотреть в никуда, а потом попросила:

— Ладно... Прости меня. У тебя своих забот полно. Я веду себя как последняя дура. Прости.

— Какие у меня заботы? — хмыкнул он, вытянулся рядом, обнял за плечи и стал гладить мои волосы.

— Помнишь, я болела корью... — неожиданно спросила я. — В каком классе?

— В детском саду. В подготовительной группе. А что?

— Ничего. Просто подумала... Как давно это было...

Тогда я вроде бы шла на поправку, и мама выписалась на работу. Сашка жаловался на головную боль, и родители на всякий случай оставили его дома. Мы играли в разбойников, прыгали с шифоньера на диван, разучивали на пианино «собачий вальс» и вообще веселились от души. К обеду у меня вдруг поднялась температура, я задыхалась и тряслась в ознобе. Сашка позвонил маме, а потом сидел рядом со мной, вцепился в мою руку обеими руками и смотрел испуганно.

«Сашка, я ведь не умру?» — перепугалась я так, что начала заикаться, а он затряс головой и сказал:

«Нет. Чего ты? — А потом добавил: — Я тебя люблю. Очень».

«И я тебя», — ответила я, и это было сущей правдой.

Я всегда его любила, больше, чем родителей, больше, чем бабушку, больше всех... до некоторого времени. А в Сашкиных глазах, когда он смот-

10

рел на меня, с тех пор где-то в самой глубине зрачка таился страх. Я прижалась к нему и сказала:

— Я люблю тебя...

— Все будет хорошо, — повторил он и поцеловал мои волосы. — Вот увидишь. Он вернется, и все будет хорошо.

— Он ни разу не написал мне, — всхлипнула я. — Он не хотел меня видеть. Он считает, что я во всем виновата. И это правда.

— Что правда? — вздохнул Сашка.

— Все. Если бы не я...

— Вот что... — Он поднялся. — Давай-ка выпьем. Коньяк еще остался. И поговорим.

Сашка сходил на кухню, вернулся с двумя рюмками и бутылкой, поставил их на тумбочку, неторопливо разлил коньяк.

— Давай... за нас.

Я выпила и опять легла, закинула руки за голову и уставилась в потолок.

— Ведь он не убивал... — сказала я скорее себе, чем Саше.

— Конечно, нет, — кивнул он.

— Но его посадили...

— Менты имели на него большой зуб, и вдруг так подфартило... Грех было не воспользоваться...

— А я... я только все испортила... — чувствуя, что опять скатываюсь в истерику, прошептала я.

— Ты хотела его вытащить. Только за него взялись всерьез и серьезные люди. Тебя допрашивали двенадцать часов почти непрерывно. Кто смог бы выдержать такое?

— Я... я должна была выдержать.

— Чепуха. Ни ты, ни я, ни он сам... Улики налицо, менты довольны. Это ж было не расследование, а рождественский подарок. Оружие, из которого только что стреляли, в его машине, и сам он в сотне метров от дома, где совершено преступление, в этой самой машине задержан через десять минут после убийства. Твои показания ничего бы не изменили.

— Но ведь он не убивал?

— Нет. Мне он врать бы не стал. Да и на кой черт ему убивать этого придурка?

— Все решили по-другому...

— Забудь. Это не имеет значения.

— Он тоже так решил, — упрямо сказала я. — Он меня бросил. Скажи, за что?

— Не начинай все сначала, — нахмурился Сашка. — Ты все знаешь не хуже меня. Его подставили, да так ловко, что у него не было шансов выкрутиться. Ни одного шанса. Он не был бы самим собой, если бы сразу сдался, но и он не верил, что выкрутится. Слишком многим хотелось, чтобы он сел.

— Он бросил меня, — зарываясь лицом в подушку, напомнила я. — Он считает, что я его предала...

— Чушь собачья. Он не бросил, а сел в тюрьму. И он не хотел тебя связывать на долгие годы. Не такой он человек. Согласен, у него не очень хороший характер, но винить тебя он бы никогда не стал.

— А может, ему просто наплевать...

— Вот что, — вздохнул Сашка. — Давай-ка спать. Если не возражаешь, я останусь у тебя.

— Хорошо, постелю тебе на диване. — Я поднялась, а Сашка ушел в ванную. — Как твои дела? — догадалась спросить я, когда он уже лег.

— Мои дела? Нормально. Как же еще?

— Где ты был?

— Когда? — не понял он.

— Я хочу сказать, откуда ты ко мне приехал?

— А-а... Так, посидели в одном месте... перекинулись в картишки. Отправился домой, вижу, у тебя свет горит, вот я и позвонил...

— Его ждут? — без всякой связи спросила я.

— Кто? — вроде бы удивился Сашка.

— Не знаю... Кто-то... Например, те люди, которым очень хотелось, чтобы он оказался в тюрьме... Это опасно, да?

Сашка лежал, глядя в потолок, потом повернулся ко мне и заговорил очень серьезно:

— Послушай меня, пожалуйста. Когда он сел, нам здорово досталось: тебе, мне, всем, кто был с ним. Тигр в клетке, шакалы воют... Не мне тебе рассказывать, что было. Время прошло, и ничего не вернуть: он отсидел за убийство, которое не совершал. И он возвращается.

— Просто возвращается? — уточнила я.

— Да. Именно так. Он не хочет мстить, если ты об этом. И не собирается искать тех, кто его подставил. Он просто хочет жить. Это понятно?

— Конечно, — усмехнулась я. — Если бы речь шла о ком-то другом.

— Ты можешь относиться к этому как угодно, но все обстоит именно так.

— Выходит, он здорово изменился, — усмехнулась я.

— Не он один. Мы все изменились. А ему досталось больше всех.

Я посмотрела на фотографию на стене, не выдержала и заревела, кусая пальцы.

— За что? Скажи, за что он так поступил со мной?

— Тихо, тихо, тихо, — шептал Сашка, оказавшись рядом. — Не начинай все сначала. Все будет отлично, верь мне. Он вернется, мы сядем втроем, как раньше, и обсудим наши дела.

— Не в этом дело, — немного успокоившись, сказала я. — Он меня не любит. Просто не любит. И это самое страшное.

— Я прошу, потерпи еще две недели, идет?

— Я потерплю, — кивнула я. — Только для меня ничего не изменится через две недели. Я не нужна ему, и он считает меня виноватой.

— Послушай. — Сашка сжал мои плечи и заговорил торопливо, точно боялся, что не успеет все сказать: — Ты знаешь, как я люблю тебя, а он всегда был мне лучшим другом. Самым лучшим. С тех пор как умерли родители, у меня остались только вы... Я точно знаю: все будет хорошо. Просто надо еще немного потерпеть. Ты поняла?

Я положила голову ему на колени и зажмурилась. Мне очень хотелось верить... только верил ли сам Сашка в то, что обещал мне?

Я проснулась от шума воды в ванной, взглянула на часы. 7.30. Приподнялась на локте и позвала:

— Саша.

Он выглянул из-за двери, улыбнулся и сказал:

— Еще рано. Спи, — и вновь исчез в ванной, а я встала, накинула халат и вышла в кухню. Быстро приготовила завтрак.

Сашка появился минут через пятнадцать, устроился за столом и стал есть, весело на меня поглядывая, веселье он слегка переигрывал, в глубине зрачков притаилось беспокойство.

— Вкусно, — похвалил он. — Зря так рано встала... Перехватил бы что-нибудь по дороге.

— Мне нравится тебя кормить, — пожала я плечами. — Еще мне нравится просыпаться по утрам и знать, что ты рядом... Жаль, что мы не можем жить вместе, как раньше.

— Жаль, — согласился он. — Женщина не должна жить одна. — И добавил с поразившей меня уверенностью: — Это скоро кончится.

Сашка взглянул на часы, торопливо допил вторую чашку кофе и пошел к двери.

— Заеду вечером, — кивнул он на прощание.

— Не надо, — покачала я головой, он остановился, а я пояснила: — Спасибо, но мне не нужна нянька. Я справлюсь, честно.

— А как насчет коньяка? — усмехнулся он.

— Бутылку допили вчера.

— А ночной псих?

— Ну его к черту! — Я хмыкнула, развела руками и добавила: — Мне кажется, он неплохой парень. По крайней мере, мы точно из одной команды.

Сашка закатил глаза, покрутил головой и сказал:

— Ноги бы ему выдернуть. Вместе с языком, — махнул рукой и ушел, а я стала смотреть в окно.

Вот он выходит из подъезда, поднял голову, посмотрел на меня и улыбнулся. Я кивнула в ответ, дождалась, когда он сядет в машину, а потом покинет двор. Прошлась по квартире, замерла перед фотографией на стене и долго-долго смотрела.

— Ты вернешься, — сказала громко. — Только не ко мне. Но все равно я очень рада.

Я затеяла уборку и начала новую жизнь. Понедельник — самый подходящий для этого день. Никакого нытья и истерик, курить я уже бросила, в будущее смотрю с оптимизмом. За оставшиеся дни следует похудеть на пару килограммов, больше находиться на свежем воздухе, немного загореть и вспомнить наконец, что я красивая женщина.

Все это я говорила себе с усмешкой, но выработанной программе собиралась четко следовать.

В дверь позвонили, очень настойчиво и, должно быть, не в первый раз. У меня работал пылесос, и звонок я услышала не сразу, крикнула:

— Сейчас! — и пошла открывать.

На пороге стояла Лерка. Одиннадцать утра, а она уже, как говорится, лыка не вяжет.

— Проходи, — вздохнула я, распахивая дверь пошире и отходя в сторону. — Привет.

Лерка споткнулась на пороге, буркнула:

— Черт, — и с трудом добралась до кресла. — Выпить есть?

— Нет, — ответила я. — Слушай, что сегодня за праздник?

— У меня нет праздников, сплошные будни, чтоб ты знала. Честно, есть у тебя коньяк?

— Нет. Можешь проверить. Хочешь, напою тебя чаем.

— Катись ты со своим чаем, знаешь куда... —

Лерка тряхнула головой, резко выдохнула воздух и поинтересовалась: — Сашка у тебя ночевал?

— У меня, — кивнула я.

— Разумеется. Где же еще. И вчера, и позавчера, и всю жизнь только у тебя. Да?

— Прекрати, — поморщилась я. — У меня нет ни малейшего желания наблюдать чужую истерику. Свои надоели.

— Тебе опять кто-то звонил, и он прибежал сломя голову? Ехал мимо, увидел, что горит свет. — Она засмеялась. — Ты и твой дерьмовый братец... Как я его ненавижу... Всегда одно и то же...

— Почему бы вам не оставить друг друга в покое? — зло предложила я.

— Разумеется. Ты об этом только и мечтаешь. Ты всегда меня ненавидела, всегда, с того самого дня, когда он нас познакомил. Конечно, все вокруг должны любить только тебя, ты самая необыкновенная, да... а что я? Ты хочешь, чтобы он меня бросил, и вечно его так настраиваешь. И покрываешь эту сволочь. Он изменяет мне с каждой юбкой, а ты его покрываешь! — Последние слова она уже кричала.

Конечно, Сашка изменял ей. Сейчас, глядя на Лерку, я не особенно его осуждала. Она сидела, раздвинув колени, руки свисали почти до пола, на лице вчерашняя косметика, волосы всклочены, вряд ли она догадалась расчесаться с утра. Шесть лет назад она была красавицей, сейчас мало кому пришло бы в голову так ее назвать.

— Слушай, — предложила я, — ложись на диван, отдохни немного. А вечером встретишь Сашку с работы, заедете в какой-нибудь ресторан...

— В ресторан он ходит с другими, — хохотнула она. — Слушай, чего он меня не бросит к чертовой матери, а? Ты ведь знаешь, у вас секретов не бывает, что он говорит? Жалко меня, да? Вы же добрые. И еще честные и благородные. Чертова семейка... сволочи, вот вы кто. И ты, и твой братец.

— Заткнись, пожалуйста, — попросила я. — Иначе суну тебя под холодный душ, в прошлый раз тебе не понравилось.

— Конечно, — пьяно ухмыльнулась Лерка. — Я алкоголичка и стерва, так он говорит. А ты у нас ангел... ангел. А я знаю, кто настоящая стерва. И не одна я знаю, очень многие. — Она вдруг принялась хохотать, однако недолго, смех резко оборвался, Лерка нахмурилась и ткнула в меня пальцем. — Знаешь, что о тебе говорят? Не знаешь? Могу рассказать. Ты шлюха, вот ты кто. Шлюха, грязная, подлая шлюха. Ты думаешь, если пять лет сидишь в этой норе затворницей и носа никуда не кажешь, все уже забыли? Святую из себя корчишь? Как бы не так, — обычно в этом месте она замолкала, но не сегодня. — Он-то знал, что ты за штучка, твой Илья. И послал тебя ко всем чертям...

Я села напротив и попросила:

— Расскажи мне...

— О чем? — вроде бы удивилась Лерка, приходя в себя.

— О том, что говорят.

— Ничего не говорят... — Она нахмурилась и стала разглядывать что-то на полу.

— Тебе Сашка не велел говорить со мной об этом?

— В гробу я видела твоего Сашку. — Она покусала губы, потом тяжело вздохнула: — Не слушай ты меня. Знаешь ведь, пьяная — я дура. Второй день пью. Сашка домой заходит редко, так, от случая к случаю. Бросил бы в самом деле, может, и к лучшему...

— Что говорят, Лерка? — напомнила я.

Она вроде бы испугалась.

— Что... всякую чушь. Убийство на почве ревности, как будто ты не знаешь.

— Знаю. Только Илья меня не ревновал, тем более к Андрею. Я не давала ему ни малейшего повода меня ревновать.

— Он тебя любил, — помолчав, заметила она. — Очень. Илья странный мужик. Про такого никогда не скажешь, что у него на уме.

— Что за чушь, Лерка. Ведь ты знаешь, идею о ревности подкинули адвокаты, когда стало ясно, что ему не выкрутиться.

— Ну... — Она нахмурилась еще больше. — Он ведь бросил тебя, разве нет? Он послал тебя ко всем чертям. Почему? Если ты не виновата...

— Наверное, в чем-то виновата, — согласилась я. А Лерка неожиданно опять засмеялась и даже погрозила мне пальцем:

— Умеете вы придуриваться, ты и твой братик. Я бы поверила, ей-богу... нет, честно, поверила бы...

— Во что? — осторожно спросила я.

— В то, что ты ангел. И воплощение невинности. И еще черт знает что. А твой брат отличный парень. Брат и Друг. Оба слова с заглавной буквы. Вот именно: Брат и Друг. Хочешь скажу, почему этот сукин сын меня никак не бросит? — Она махнула мне рукой, я машинально наклонилась, а она зашептала: — Не может: твой чертов братец боится. Потому что я следила за ним той ночью. Улавливаешь? Я за ним следила. Ему придется убить меня или мучиться до самой смерти... Здорово, правда? — Она принялась хохотать, а я смотрела на нее и пыталась понять: что это, пьяный бред или в самом деле существует нечто, мне неизвестное.

— Давай-ка спать, — так и не сделав никакого вывода, сказала я. Сунула ей подушку под голову и достала одеяло.

Лерка спала, хмурясь и зябко поеживаясь. Я закончила уборку и устроилась на лоджии. Курила, забыв про недавнее обещание бросить, смотрела на проспект и думала. Что-то в словах Лерки не давало покоя.

Я покосилась на диван, где она спала, покачала головой и потянулась за новой сигаретой.

У меня собственная точка зрения на происшедшее несколько лет назад, по наивности я считала, что моя точка зрения — едва ли не единственная; конечно, у милиции была своя, но меня она не интересовала.

Я добровольно обрекла себя на некое подобие затворничества не потому, что таким образом пыталась искупить вину, просто никого не хотела видеть. Люди и разговоры раздражали. Общение с внешним миром я попыталась свести до минимума, а теперь об этом сожалела. Что-то происходило там, за стенами моей квартиры, что-то, что напрямую меня касалось, и моя точка зрения вовсе не была единственной, иначе как объяснить то, что Илья просто вышвырнул меня из своей жизни. Должна быть причина. Мне она неизвестна, но должна быть...

Лерка подняла голову, сонно посмотрела по сторонам, потом позвала:

— Аська, я у тебя, что ли?

— У меня. — Я вернулась в комнату, села на диван рядом с Леркой, спросила: — Хочешь чаю? С лимоном... Или сок, ананасовый.

— Чаю давай, — кивнула она. — И пожрать чего-нибудь. Кишки сводит...

Я быстро накрыла на стол и позвала ее.

Лерка умылась, расчесалась и села за стол, слабо постанывая.

— Убила бы дуру, — сказала она вдруг со злостью.

— Кого? — усмехнулась я.

— Себя, конечно.

Лерка была почти трезвой, а в таком состоянии предпочитала заниматься самобичеванием.

— Может, лучше бросить пить?

— Бросишь, как же... — разозлилась она. — Твой чертов братец... А-а... — Она махнула рукой и стала уплетать щи.

Я помолчала немного, наблюдая за Леркой, потом осторожно спросила:

— Ты говорила, что следила за Сашкой той ночью...

— Какой? — насторожилась Лерка.

— Той ночью, когда арестовали Илью.

— Я такое говорила? — Она испугалась, нервно поежилась, поглядела во все четыре угла моей кухни и сказала: — Аська, ты же знаешь, пьяная я — дура дурой. Чего хочешь соврать могу. Не бери в голову, а? Это я так, со злости... У нас сейчас с Сашкой не очень, а я люблю его. Ты же знаешь, мне без него хоть сразу в петлю. А ему хоть бы что. — Тут она заревела, а я вздохнула и возразила, вычерчивая ложкой узоры на столе:

— Ему не все равно.

— Как же... — Лерка шмыгнула носом и уставилась на меня. — У него баба есть, он даже не скрывает, при мне ей звонит.

— Извини, но мне кажется, это неправда, я имею в виду, что ему настолько все равно, что он не желает ничего скрывать.

— Ну, хорошо, он скрывает, но я-то не дура, я ж все вижу, и кому он звонит, знаю... Он тебе что-нибудь говорил про нас?

— Да. — Я вздохнула. — Говорил, что ваши отношения вконец испортились, что вы живете, словно чужие, ты много пьешь, и он не знает, как все изменить. Винит во всем себя.

— Конечно, винит... А сам дома сутками не показывается. И на меня ему плевать. Ходит мимо, точно я мебель... Он меня бросит? Что он говорил, а?

— По-моему, ему это даже в голову не приходило.

— Правда? Если он меня бросит, я не знаю, что сделаю... Я хочу ребенка, а он нет, почему? Потому что не собирается со мной жить?

— Он не хочет ребенка, потому что ты хроническая алкоголичка и ребенок может родиться двухголовым. Извини, что я так резко, но кто-то должен сказать тебе это.

Лерка вытаращила глаза и замерла, не донеся ложки до рта.

— Это он так сказал? — спросила она где-то через минуту.

— Это я так сказала.

Она швырнула ложку, вздохнула и уставилась на меня.

— Вы очень похожи, — заметила она без злобы. — Ты и твой брат. Жаль, что вы родственники, вот бы парочка получилась... Скажи, ведь на самом деле вам никто не нужен, верно?

— Что ты имеешь в виду? — удивилась я.

— Вы любите только друг дружку, и вам никто не нужен. Никто.

— Это интересная мысль. — Я усмехнулась, а Лерка насторожилась, ее взгляд заметался, она покусала нижнюю губу и попросила жалобно:

— Аська, не говори ему про то, что я здесь наболтала. Я просто пьяная дура и болтаю всякую чушь. И злюсь, что сестру он любит в сто раз больше меня. Может, я виновата, но это обидно, понимаешь?

— Понимаю. Только чего ты вдруг занервничала? Ты сегодня сказала, что следила за Сашкой в ту ночь, когда арестовали Илью. И по этой причине он тебя не смеет бросить. Жутковато звучит, да?

— Если ты думаешь... если ты думаешь, что это как-то связано с Ильей, — запаниковала Лерка, — то зря. Мне просто нравится по пьянке пугать всех подряд, я, мол, крутая и все такое... Ты ведь знаешь, Сашка никогда от тебя ничего не скрывает. И если бы тогда что-то... — Тут она побледнела и, окончательно запутавшись, жалобно на меня уставилась.

— Я ничего ему не расскажу, — заверила я и стала смотреть в окно.

Аппетит у Лерки пропал, она торопливо пила чай, избегая встречаться со мной взглядом.

— Скажи, — подумав, попросила я, — в чем меня считают виноватой?

— Кто?

Я пожала плечами.

— Не знаю кто... Люди. Ведь что-то говорили тогда, разве нет?

— Бог с ними, — вздохнула Лерка. — Чего дураков слушать... Мне Сашка голову оторвет.

— Не оторвет. Он не узнает.

— Охота тебе все это ворошить. И я дура. Сунулась с длинным языком... Говорят, что ты была любовницей Андрея. В ту ночь Илья застал вас на его квартире. Ты убежала, а его он убил. На суде Илья промолчал о том, что вас застукал, не желая трясти грязным бельем... ну и тебя пожалел. После чего вырвал тебя из сердца, закопал на пять метров в глубину и залил цементом. — Лерка невесело хохотнула.

— Занятно, — кивнула я, а она неожиданно разозлилась:

— Чушь собачья, глупая сказочка для полудурков.

— А если это действительно так? — подумав, спросила я.

Лерка растерялась, потом нахмурилась и сказала:

— Мне можешь не заливать. Чушь все это, кому и знать, как не мне...

— Чушь, — согласилась я, и мы выпили по чашке чаю, старательно избегая глаз друг друга.

— Сашка говорит, Илья вернется, и жизнь наладится, — тихо заметила она. — Как думаешь?

— Не знаю, — ответила я честно.

— Он его вправду ждет.

— Кто? — не поняла я.

— Сашка.

Ее ответ меня поразил. Я торопливо поднялась, отошла к плите, повернувшись спиной к Лерке, стараясь скрыть охватившее меня смятение, а успокоившись, сказала твердо:

— Конечно, он его ждет. Ведь они друзья.

— Друзья, — согласилась Лерка, я попробовала обнаружить в ее голосе усмешку, но не смогла.

Лерка взглянула на часы и засобиралась домой. Я решила ее проводить, она охотно согласилась.

День был солнечным, но нежарким, улицы заполнены гуляющими.

— Мы хотели на юг съездить, — сообщила Лерка. — На пару недель. Поедем с нами.

— Может быть. Когда собираетесь?

— Попозже. Я имею в виду, Илью дождемся. Может, и он поедет, было бы здорово, правда?

— Да, — согласилась я.

Она несколько минут шла молча, потом сказала:

— Извини, что я тебе настроение испортила... Я пить брошу, правда, с завтрашнего дня.

— Хорошая мысль.

Тут на глаза мне попался телефон.

— Давай позвоним Сашке, — предложила я.

— Вряд ли он дома, уже восемь часов.

— Позвоним на работу.

— Тогда ты звони, — кивнула Лерка.

Я набрала номер и вскоре услышала Сашкин голос:

— Да.

— Это я, мы с Леркой гуляем, решили заглянуть к тебе.

— Как там она?

— Отлично.

— Что ж, заглядывайте. В баре ни души, вы будете первыми посетителями.

Лерка слушала, прижав ухо к трубке.

— Поедем? — спросила она.

— Лучше пешком. Погода хорошая, грех не прогуляться.

Лерка взяла меня под руку, и мы направились в старую часть города. Здесь, на одной из маленьких улочек, располагался ночной клуб, который принадлежал Сашке... и Илье. Сашка это неизменно подчеркивал, хоть и являлся по документам полноправным владельцем. Несколько лет назад клуб был самым популярным в городе, но после ареста Ильи Сашке пришлось нелегко, власти искали повода разделаться с ним, да и многочисленные недруги почувствовали себя вольготно и портили ему жизнь как могли. Думаю, Сашка держался за клуб из упрямства, вряд ли это заведение приносило сейчас большой доход. Разговоров на эту тему брат всячески избегал, и я не лезла.

Возле дверей стоял охранник и курил, поглядывая на редких прохожих.

— Привет, — сказала Лерка, я кивнула, он ответил:

— Привет, — и с удивлением уставился на меня: я не появлялась здесь несколько лет.

Мы вошли в бар, за то время, что мы сюда добирались, бар заполнился почти до отказа, все столы были заняты, за стойкой сидели две девушки и трое ребят. Взглянув в том направлении, Лерка чертыхнулась:

— Смена Кирилла. Терпеть его не могу. — И добавила зло: — Он меня тоже.

Мы подошли к стойке, Кирилл повернулся к нам, кивнул и неторопливо приблизился. Он вызывал у меня странное чувство. Может быть, беспокойство. Выше среднего роста, коренастый, бритый наголо, от правого виска к затылку тянулся шрам, большие серые глаза смотрели спокойно и даже равнодушно, но где-то в самой их глубине таилась угроза. Тонкий нос, узкие губы, кривая улыбка. Впрочем, улыбался он редко, говорил вроде бы неохотно. Здесь появился через год после того, как Илья угодил в тюрьму. Что их связывало с Сашкой, я не знала, но что-то, кроме того, что Кирилл здесь работал, безусловно, связывало. Неоднократно я хотела расспросить брата об этом, но каждый раз неожиданно пугалась и замолкала.

— Выпьете? — спросил Кирилл, обращаясь ко мне.

— Я выпью, — ответила Лерка. — Налей водки, грамм сто.

На Лерку он даже не взглянул, смотрел мне в глаза и вроде бы силился улыбнуться.

— Мне кофе, — попросила я, он бросил через плечо:

— Таня, сделай кофе, — и отошел к посетителю на другой конец стойки.

— Видишь, что выделывает, — разозлилась Лерка. — Какого черта Сашка его держит? Он даже не взглянул на меня.

— Брось, — попробовала я ее успокоить. — С водкой ты завязала, а кофе подаст, никуда не денется.

— Нет, просто обидно. Можно подумать, он здесь хозяин, а я так, прогуляться вышла.

Лично я была рада, что Кирилл не обращает на нас внимания: взгляд его рождал в душе что-то крайне неприятное и подозрительно похожее на страх.

Столик в углу освободился, мы взяли с Леркой свой кофе и устроились там. Через пятнадцать минут появился Сашка, перекинулся парой слов с Кириллом и подошел к нам.

— Тысячу раз тебе говорила: выгони его к чертовой матери, — проворчала Лерка с обидой, тыча пальцем в Кирилла.

— За что? — усмехнулся Сашка. — За то, что водку тебе не наливает? Так это я не велел.

— Он на меня так смотрит...

— Он на всех одинаково смотрит, у него зрение плохое, а очки носить стесняется. Нормальный мужик и честный в меру. Это сейчас большая редкость, надо ценить... Я рад, что ты сюда заглянула, — повернувшись ко мне, сказал Сашка и взял меня за руку.

— Я тоже, — кивнула я и попробовала пошутить: — Пора возвращаться к жизни.

Где-то через полчаса Сашка ушел к себе, а мы еще немного посидели в баре. Лерка решила провести вечер здесь, да и я домой не спешила. Мы лениво болтали и разглядывали публику, двери в бар неожиданно широко распахнулись, Кирилл за стойкой взглянул исподлобья и как-то подобрался, а я увидела входящих в бар мужчин. Первым шел Мирон, за ним два здоровячка с крайне неприятными ухмылками на лицах. Публика, заприметив вошедших, сразу притихла.

— Чего им надо? — удивилась Лерка.

— Решили отдохнуть, — ответила я.

Между тем Мирон со своей охраной устроился за стойкой. Он сидел развалясь и чувствовал себя хозяином. В прежние времена его бы и с черного хода не пустили, но то было при Илье.

Мирон насмешливо оглядел небольшой зал и заметил меня, а я мысленно чертыхнулась.

— Какие люди, — пропел он, перекрывая шум в баре, поднялся, не спеша приблизился и встал рядом со мной, сунув руки в карманы брюк. — Не могу поверить, — перестав ухмыляться, начал он. — А мне говорили, ты вроде в монастырь ушла. Грехи замаливать.

Я отодвинула чашку, подняла голову и посмотрела на него.

— В монастырь с моими грехами не берут, — ответила я, стараясь, чтобы голос звучал ровно. Он хохотнул, раскачиваясь с пятки на носок, и убираться прочь явно не торопился. «Отважный стал», — мысленно хмыкнула я и Сашкины слова вспомнила: «Тигр в клетке, шакалы воют». Выходит, так оно и есть. — Может, присядешь? — спросила я, потому что от его раскачивания уже в глазах рябило.

— Нет, спасибо, — хохотнул он и поинтересовался язвительно: — Значит, с затворничеством покончено?

— Как видишь.

— Ждешь?

— Конечно, жду.

— Не думай, что все будет как раньше, — заявил он и вроде бы разозлился. — Не надейся. Здесь я хозяин.

— Я слышала, — кивнула я.

— Что? — не понял Мирон.

— Я слышала, что ты теперь хозяин, — охотно пояснила я, он уставился мне в глаза и замер. Не знаю, чего он ждал, но не дождался. Взгляд Мирона не из тех, что я не смогла бы спокойно выдержать. Он криво усмехнулся и вознамерился еще что-то сказать, но тут появился Сашка.

— О, братец пожаловал, — скривился Мирон.

— А в чем дело? — вроде бы удивился тот.

— Никаких дел, просто подошел поздороваться с твоей сестрой. Шикарно выглядишь, — шепнул он, наклонясь ко мне, подло ухмыльнулся и наконец убрался к стойке.

— Не обращай внимания, — сказал Сашка, сжав мое плечо, а я улыбнулась в ответ:

— Может, он теперь и хозяин, но совершенно не тот человек, на которого я могу обратить внимание.

На этот раз «ночной мститель» позвонил после двух. Я сняла трубку, машинально включив ночник, и стала смотреть в потолок.

— Привет, сука, — сказал он. — Тебе осталось тринадцать дней.

— Кто ты? — неожиданно для себя спросила я, так как до этого я всегда молчала. Он вроде бы растерялся, потом ответил с неохотой:

— Потерпи, скоро узнаешь.

— Я хочу с тобой встретиться. Сейчас. Скажи куда, я подъеду. Или сам приезжай ко мне, думаю, мой адрес тебе известен.

— Ага. — Он засмеялся. — Я такой дурак. Задумали от меня избавиться со своим шакалом-братцем?

— Если ты друг Ильи, то должен знать: он и мой брат — друзья.

— Я тоже так думал. Только он продал друга, чтобы выгородить тебя.

— Послушай, — пытаясь найти нужные слова, попросила я. — Ты можешь не поверить, но я не знаю, в чем моя вина. Пожалуйста, объясни мне.

— Ты грязная шлюха и сама все прекрасно знаешь. Он вернется, и вам мало не покажется, это сейчас у него руки связаны.

— Ты считаешь, что в ту ночь я была с Андреем? — проявила я сообразительность, а он засмеялся:

— Еще бы. Я видел твою машину.

— Что? — не поняла я, а он повторил:

— Я видел твою машину. Ты была там.

— Ты видел мою машину возле дома Андрея? — растерянно переспросила я.

— Такая умная, да? Ты оставила ее на углу Перекопской и к своему хахалю шла пешком.

— Ты меня видел? — Я решила, что имею дело с психом.

— Тебя я не видел, — зло ответил он. — Зато видел твою тачку. Сам, своими глазами. Ты не стала бы рисковать и ставить машину под окнами любовника, раз ее каждая собака в городе знает.

— Значит, на углу Перекопской? — повторила я.

— Ага. Вы с братишкой, конечно, молодцы, здорово все это провернули, знали, что Илья не такой человек... Сволочи, — бросил он с досадой, а я заметила:

— Странно, что мы не знакомы. Если ты его друг, я должна бы знать тебя. Тем более что у Ильи почти не осталось друзей, — добавила я с горечью.

— Ничего, найдутся. Может, то, что мы друзья, сильно сказано, но он мне ближе родного брата. И я жду не дождусь, когда он вернется.

— Я тоже, — ответила я, он помолчал и повесил трубку.

А я вышла на лоджию, закурила и стала смотреть на город в редких огнях.

— Этот парень спятил, — сказала я самой себе, ежась от ночного холода. — Он не мог видеть мою машину той ночью. Она была на стоянке во дворе... хотя из окна ее не увидишь. Утром заднее колесо оказалось спущенным. Ну и что? Это ведь ни о чем не говорит. Парень напутал... История с машиной выглядит дурацкой... вся история выглядит дурацкой, — неожиданно твердо сказала я. — Илья не убивал, и еще: я никогда не давала ему ни малейшего повода ревновать меня.

С девятнадцати лет, с того самого дня, как Сашка нас познакомил, Илья был для меня единственным мужчиной и знал это. Хорошо знал. С Андреем они когда-то учились в одном классе. Тот был художником и считал себя гением, по-моему, вполне искренне. К нему меня привез Илья. Мы возвращались от Сашки, вдруг он затормозил возле двухэтажного дома, на одной из тихих улочек в центре, и сказал:

— Идем, я познакомлю тебя с гением.

— С гением? — улыбнулась я.

— Точно. По крайней мере, он так считает.

— А ты?

— А я не знаю. Может, правда гений. Он художник. Неделю назад увидел твою фотографию, ту, что я ношу с собой, и привязался, как репей: хочет твой портрет написать. Давай зайдем.

— А вдруг он меня нарисует с двумя головами? — спросила я и фыркнула. — Или с одним глазом.

— Пусть попробует, — засмеялся Илья, и мы поднялись на второй этаж.

Андрей оказался невысоким, лохматым парнем, с умным лицом и озорными глазами. Мы быстро подружились, через две недели он закончил мой портрет, который Илье понравился, а вот мне нет. Илья заказал овальную рамку и собирался повесить его в гостиной, я этому категорически воспротивилась, и портрет перекочевал в спальню... Интересно, висит он там сейчас или Илья распорядился выбросить его на помойку? Сашка бы, конечно, не выбросил, а оставил у себя. Впрочем, бог с ним, с портретом...

Пока Андрей работал над моим портретом, мы виделись довольно часто, но почти никогда не оставались наедине. Илья сидел в студии, уткнувшись в газету, или перебрасывался с хозяином шутками. Сопровождал он меня не потому, что не доверял или ревновал, а потому, что ему это нравилось. Нам было хорошо вместе... Стоп, я провела рукой по лицу: «Не начинай все сначала... и давай без истерик...» Андрей был веселым, дурашливым парнем, он любил болтать со мной, но у Ильи не было повода меня ревновать. Поэтому все происшедшее было точно удар грома.

Илья той ночью вдруг заявил, что у него какое-то дело, спешно собрался и ушел. Нет, не просто ушел... «Я вроде бы просила: без истерик...» Он ушел, я стояла на балконе, дождалась, когда он выехал со двора, и ушла в спальню. Моя машина была на стоянке. Я так считала. Где она еще могла быть, если я ее там оставила? Кому в этом городе пришло бы в голову угнать мою машину? По меткому определению звонившего типа, ее знала каждая собака. Итак, я считала, что машина была на стоянке. Однако утверждать это не могу, увидеть ее с балкона, а тем более в темноте, невозможно.

Если звонивший не псих и в самом деле видел ее на Перекопской, значит, кто-то ее со стоянки взял, а потом поставил на место. Я помню только одно: утром заднее колесо было спущено, я не могла тратить время на запаску и к брату поехала на такси.

Была машина на Перекопской или нет? Об этом следует спросить Сашку. Только не в два часа ночи.

Утром он позвонил сам.

— Как настроение?

— Отличное, — заверила я. — Ночью мне опять звонил этот тип.

Сашка зло выругался.

— Я решила поговорить с ним и выяснила следующее: он видел мою машину в ту ночь на Перекопской, в трех кварталах от дома Андрея.

— Что за чушь? — удивился Сашка.

— Он говорил так убедительно, что я собиралась позвонить тебе и спросить: ты не брал в ту ночь мою машину?

— Конечно, нет... Слушай, осталось совсем немного, потерпи, я прошу. И не затевай глупых расследований. — Сашка говорил мягко, но я чувствовала — злится, это показалось мне странным.

— Знаешь, когда все это случилось, я точно оглохла и ослепла, — сказала я. — А теперь думаю: может, мне стоило распахнуть глаза пошире, а не сидеть истуканом в своей квартире?

— Ясно, — хмыкнул Сашка. — Ты решила стать сыщиком. Желаю удачи, только вряд ли она улыбнется, говорю, исходя из собственного опыта, потому что я в роли сыщика уже побывал.

— Может, мне повезет больше, — предположила я.

— Зная твой характер, отговаривать не берусь, — вздохнул он. — Об одном прошу: держи меня в курсе. В трудную минуту любимый старший брат придет на помощь.

Я быстро собралась и покинула квартиру, решив посетить библиотеку. Времени с тех самых пор, когда арестовали Илью, прошло слишком много. Теперь трудно с уверенностью сказать, что происходило в действительности, а что в моем воображении, в общем, я решила освежить память.

Я ехала на машине, открыв окно и подставив лицо утреннему ветру, и смотрела на дома и людей, спешащих по своим делам. Оказывается, мне всего этого здорово не хватало последние несколько лет. Просто выйти на улицу или прокатиться на машине, не думая, что весь мир смотрит на тебя врагом. Скорее всего миру вовсе нет до меня никакого дела. И сейчас мне казалось, что это хорошо.

Областная библиотека находилась в новом районе, огромное трехэтажное здание из стекла и бетона, сейчас уже заметно обветшавшее, а всего несколько лет назад гордость нашего города. Я отправилась в отдел периодической литературы и вскоре уже сидела за столом у окна с двумя подшивками. Вздохнула и, вроде бы собравшись с силами, стала искать нужные мне номера газет. Руки противно дрожали. Выходит, мне только казалось, что все уже позади. Стоило увидеть броский заголовок, как сердце болезненно сжалось и стало трудно дышать.

История выглядела так: второго июня в 1.45 в районное отделение милиции поступило сообщение о том, что на улице Воровского, дом 45, квартира 13, произошло убийство. По данному звонку были отправлены две машины с сотрудниками милиции. В 1.50, в нескольких метрах от дома, где предположительно совершилось убийство, был задержан Верховцев Илья Алексеевич. При обыске в его машине под водительским сиденьем был обнаружен пистолет. В 2.05, войдя в квартиру номер 13, дом 45 по улице Воровского, сотрудники милиции в прихожей, возле незапертой двери, нашли труп хозяина квартиры Павлова Андрея Сергеевича с двумя огнестрельными ранами: в грудь и в голову. В дальнейшем выяснилось, что задержанный и убитый хорошо знали друг друга, а экспертиза установила, что пули, извлеченные из жертвы, были выпущены из пистолета, найденного в машине Верховцева.

В общем, все было ясно и понятно. Только не для меня. Верховцев вину не признал, свое присутствие возле дома жертвы объяснял так: в 1.15 неизвестный мужчина позвонил ему по телефону домой и назначил встречу в парке «Дружба», который как раз находится рядом с улицей Воровского. Неизвестный заявил, что располагает сведениями, чрезвычайно важными для Верховцева, и он согласился на встречу. Звонивший должен был ждать его в парке в 1.30. Приехав к месту встречи на машине, Илья Верховцев оставил ее возле дома номер 51, напротив парка, и несколько раз прошелся по аллее в ожидании звонившего, но тот не появился, и Верховцев вернулся к своей машине, где и был задержан сотрудниками милиции. На вопрос, каким образом в машине оказался пистолет, из которого был застрелен Павлов, ответил, что пистолет, видимо, был ему подброшен в то время, когда он ожидал в парке звонившего. Отпечатки пальцев на оружии отсутствовали, но, несмотря на это, пистолет был главной уликой.

Я провела ладонью по лицу и стала смотреть в окно. И тогда, и сейчас я прекрасно знала, что все происшедшее было кем-то подстроено. И все же история выглядела очень странной. Я знала, что никакого звонка от неизвестного не было. Звонил Сашка, но не в 1.15, как заявил Илья, а где-то около десяти. Звонок был самым что ни на есть обычным, они поговорили минут пять, Илья смеялся, приглашал Сашку заехать к нам, все это я слышала, сидя в гостиной, дверь в прихожую была распахнута настежь. Сашка приехать не пожелал, и мы отправились спать. В половине первого Илья неожиданно поднялся и заявил, что у него есть дело. Я приподнялась на локтях, посмотрела удивленно и спросила:

— Дело?

— Да, — кивнул он и стал одеваться. Потом подошел, сел на кровать и очень долго меня целовал. Он... странно вел себя в ту ночь.

— Можно я поеду с тобой? — попросила я, вдруг испугавшись чего-то.

— Нет, — ответил он. Когда он вот так говорил «нет», я знала, что просить бесполезно.

— Ты надолго?

— Не жди меня, — сказал он, а потом засмеялся: — То есть, конечно, жди. Очень прошу. Очень, очень... А сейчас спи. Я вернусь и разбужу тебя.

— Илья, куда ты? — спросила я испуганно.

— Тихо, тихо, — улыбнулся он. — А почему глаза такие испуганные? Я ведь не на всю жизнь ухожу. Верно? — Он поцеловал меня, потом решительно поднялся и пошел к двери. — Ты меня любишь? — спросил он, не оборачиваясь.

— Конечно, я люблю тебя. Илья, можно я с тобой поеду? — повторила я жалобно.

— Со мной нельзя, — засмеялся он, посмотрел

через плечо и добавил серьезно: — Я тебя очень люблю. Ты знаешь. Очень. Пожалуйста, будь умницей и жди меня. А сейчас спи.

Он ушел, а я вскочила и долго бродила по квартире, не в силах успокоиться. Стояла возле окна, смотрела во двор и ждала... Это была первая жуткая ночь в моей жизни. Страх, тоска, отчаяние и долгая, долгая ночь. Казалось, она никогда не кончится. Потом таких ночей стало много.

В восемь утра позвонил Сашка.

— Илья арестован. Дела — хуже не бывает. Держись...

...Я вздрогнула, девушка поднялась из-за соседнего стола, стул скрипнул. Я перевела взгляд на газеты. Спокойнее, все это было давно, бледнеть и падать в обморок ни к чему. Держи себя в руках... В ту ночь Илья вел себя странно, более того, он со мной именно прощался. Он знал или просто чувствовал: что-то случится, что-то страшное разведет нас надолго или навсегда... Утром я поехала к Сашке и от него узнала, что Илья арестован по подозрению в убийстве Андрея.

— Его подставили, — белыми губами шептал Сашка. — Может быть, сами менты...

— Но убийство, Саша, Андрея действительно убили?! — кричала я.

— Убили. Андреем запросто могли пожертвовать... Кто такой Андрей?

В тот же день меня вызвали к следователю на первый допрос. Потом я все время путалась и меняла показания, впрочем, спасти Илью я в любом случае не могла: мои свидетельства суд в расчет не примет. А дальше началось самое страшное: Илья отказался от встречи со мной, на суде вел себя спокойно, отстраненно, даже равнодушно, словно все происходящее его мало касалось, виновным себя не признал, а выслушав приговор, криво усмехнулся. В мою сторону ни разу не взглянул, а когда я отвечала на вопросы, что-то разглядывал в окне и вроде бы улыбался. Через два месяца настоял на разводе, и за все время — ни одного письма, ни одного свидания.

Я прикрыла глаза ладонью, задержала дыхание и уставилась в строчки газетного столбца. Женщина за соседним столом смотрела на меня с недоумением. Зря я сюда пришла, что я могу найти в старых газетах? Ответ на вопрос: что же случилось той ночью? Кто на самом деле убил Андрея и почему Илья меня бросил?

Тут я поймала себя на мысли, что в третий раз перечитываю один и тот же абзац. «Второго июня во втором часу ночи на улице Катинской, дом номер 7, совершено жестокое убийство...» Я прочитала заметку еще раз. Странно, об этом убийстве я ничего не слышала, впрочем, чего ж странного, не о том голова болела. В газете этому убийству отвели совсем немного места, хотя такое в нашем городе случалось редко: четыре трупа: хозяин, два его гостя и телохранитель, еще два тяжелораненых охранника скончались позднее, один по дороге в госпиталь, другой на следующий день в больнице. В заметке прозрачно намекалось на бандитские разборки. Никто из убитых знаком мне не был, я даже никогда о них не слышала. Интересно... Я тщательно просмотрела последующие номера газет... Ничего... Странно, кровавое убийство, в общей сложности шесть трупов — и маленькая заметка в газете... зато об Илье писали много и обо мне тоже... Когда появилась идея «убийство на почве ревности», мне пришлось несладко... Знакомство с Андреем, работа над портретом, показания свидетелей. Анонимный доброжелатель позвонил по телефону, Илья поехал к другу с намерением задать ему пару вопросов, тот дал на них исчерпывающий ответ, Илья выхватил пистолет и дважды выстрелил... Чушь, господи, какая чушь... Да, наша история, как видно, произвела впечатление, во всех газетах публиковалось одно и то же... Впрочем, и кровавому убийству на улице Катинской некто В. Артемов посвятил довольно большую статью. Я стала ее читать, одновременно пытаясь понять, почему она так меня заинтересовала.

В статье о самом убийстве говорилось мало, общие фразы о криминальной обстановке в стране и конкретно в нашем городе... Улица Катинская... где-то я видела такую табличку... что-то очень знакомое...

— Вы закончили? — Кажется, мне вторично задали этот вопрос, я не сразу сообразила, что стою возле стола библиотекаря.

— Да... — ответила я с трудом и пошла к выходу.

Черт, голова невыносимо болит... В машине я закурила, глядя на редких прохожих, и не спеша тронулась с места.

Знакомые улицы, проспект, универмаг, я свернула и не удивилась, оказавшись возле дома Андрея. Обычный двухэтажный дом с одним подъездом. На балконе, где он когда-то любил загорать на надувном матрасе, висело детское белье. Другие люди, другая жизнь... Только не для меня... Где, сказал парень, стояла моя машина? На углу Перекопской?

Я проехала еще немного и притормозила. Что ж, место выбрано правильно, приди мне в голову укрыть машину от посторонних глаз, отправляясь к Андрею, непременно оставила бы ее здесь. Только в ту ночь я никуда не уезжала, стояла возле окна, таращилась в темноту и ждала мужа. А мой ночной собеседник утверждает, что видел мою машину здесь.

Я вышла и огляделась. Пересечение двух улиц, слева парк. Если в ту ночь Илья действительно был в парке, мог он видеть мою машину? Я немного прогулялась. Вот с этой аллеи ее хорошо видно... днем. А ночью? Здесь два фонаря, рядом с одним как раз сейчас стоит моя «девятка», вопрос: горит ли этот самый фонарь по ночам, а главное, горел ли он тогда, пять лет назад?

Допустим, Илья видел мою машину, ну и что? Некто сообщил ему грязную сплетню обо мне и Андрее?.. Господи, Илья никогда бы этому не поверил, даже если бы увидел мою машину не один, а сотню раз... Он простился со мной, уехал... а дальше — тайна за семью печатями.

Я вернулась к машине, взялась за дверцу и замерла, разглядывая дом напротив. Распахнутые окна второго этажа, горшки с геранью... тишина, провинциальный уют. Я хлопнула дверцей, прошла во двор и села на скамейку возле детской площадки. Мальчишка лет пяти с шиком проехал по луже на велосипеде, подняв море брызг, а я засмеялась, загораживаясь от них руками. Потом поднялась и пошла через двор, но не к машине, а прямо, к старым особнякам, тонувшим в кустах акаций. Когда-то я любила такие места, подолгу сидела в маленьких двориках, кормила голубей и рисовала.

На рисунках выходило всегда одно и то же: раскрытое окно, белая занавеска, герань и кусты акации.

Я облокотилась на деревянный палисадник, улыбаясь своим мыслям, подняла голову и увидела цифру «семь» над подъездом. Повинуясь безотчетному порыву, покинула двор, ища глазами табличку. Налицо был явный дефицит табличек на данной улице. Я прошла домов пятнадцать, прежде чем заприметила надпись на одном из них: красной краской размашисто кто-то вывел «улица Катинская», а поверх красной надписи — оранжевая: «улица 8 Марта». Я присвистнула и пошла навстречу дворнику. Он не торопясь сгребал мусор возле контейнеров. Я извинилась и спросила:

— Не скажете, улицу давно переименовали?

— Да уж года три будет, — весело ответил усатый дядька с красным носом, прекрасно гармонировавшим с яркой футболкой и надписью через всю грудь на английском «Люби меня».

— А чем не угодило старое название? — улыбнулась я.

— По мне, что старое, что новое, все едино... Но умные люди, видно, по-другому думают. Катинская какая-то революционерка была, не помню, чем знаменитая, вроде застрелила какого-то царского генерала или еще кого... На первом доме доска висела с разъяснением, но я, честно сказать, забыл, что там про это сказано было, хоть и читал. А так как революционеры теперь не в чести, доску сняли, и называемся мы теперь «8 Марта».

— Ясно, — покачала я головой. — Что ж, 8 Марта тоже неплохо.

— Неплохо, — отозвался он.

— А где седьмой дом, не скажете?

— Так вы от него идете, он в той стороне.

— Спасибо.

— А зачем вам седьмой дом? — вдруг заинтересовался дядька. — Там сватья моя живет...

— Давно?

— Второй год.

— Жаль. — Я опять остановилась, а дядька отставил метлу в сторону и взглянул на меня с интересом. — Хотела кое-что узнать о том убийстве... Может, слышали, пять лет назад в этом доме расстреляли людей из автоматов. Я из газеты, собираю материал.

— Как не слышать, слышал. — Интерес дядьки заметно упал. — И из газет приходили. Только чего узнавать-то? Давным-давно это было. Одни бандюги убили других, ну и... земля им пухом. Стрельба-то ого-го была, из автоматов пальнули... шесть трупов, страсть...

— Четыре трупа, — поправила я, — двое умерли в больнице.

— Все равно страсть, — сурово нахмурился дядька. — А вы женщина молодая, симпатичная, а такими историями интересуетесь.

— Так ведь работа у меня. — Я улыбнулась с возможной теплотой.

— Работа... знаете, как бывает: узнаешь чего лишнее — и того...

— Что того? — подняла я брови в крайнем изумлении.

— То и того... — зашептал дядька и даже по сторонам оглянулся: — Вон сосед-то, что в пятом доме жил, тоже вроде вас, любопытный. Говорили, видел кого-то в ту ночь, когда стреляли, ну и нашли его на третий день возле подъезда...

— Что, убили? — насторожилась я.

— А как же. Стукнули по голове, вот и все.

— Веселая у вас улица, — покачала я головой и развернулась на пятках. — Значит, седьмой дом я прошла? Что ж, придется вернуться, думаю, стоит взглянуть.

— Взгляните, ежели охота, — проворчал он мне в спину.

Я вернулась к дому номер семь. Особняк начала века, недавно перестроенный. Теперь, судя по табличкам на двери, здесь было четыре хозяина. Крохотные квартирки, большая общая веранда. Окинув взглядом двор, я направилась к машине, взглянула на часы, потом ускорила шаги и остановилась только возле подъезда Андрея. Две минуты до машины, еще четыре до дома, где жил Андрей. Ну и что? Какое отношение ко мне имеет это убийство? Никакого. Если не считать странного совпадения. Мою машину, которая должна была находиться на стоянке в нашем дворе, некто видел в ту ночь здесь. Если это правда, конечно.

Я вернулась к машине, завела мотор и поехала в сторону центра, решив где-нибудь перекусить. Слева возникло Управление внутренних дел, огромное здание с широкой лестницей и тремя колоннами. Окна второго этажа открыты, должно быть, в кабинетах жара, усидеть трудно. Увидев телефон, я затормозила, потом долго искала в сумке записную книжку и Севкин номер, взглянула на часы, в это время он должен быть на работе, если, конечно, не в отпуске. Севка был на работе.

— Дерин слушает, — лениво сказал он, а я, улыбаясь, ответила:

— Быть этого не может.

— Это ты? — Он вроде бы удивился, хотя, вероятно, было чему. Мы не виделись больше года, а не звонила я... в общем, давно. — Это ты? — повторил он.

— Это я, — пришлось согласиться мне.

— Голос веселый, я рад, что ты расправила крылышки. Готовишься?

— Да. Правда, точно не знаю к чему.

— Все будет хорошо, — заверил он.

— Само собой, — пришлось согласиться мне.

— Что-нибудь случилось? — Теперь Севка как будто встревожился. — Извини, трудно поверить, что ты вдруг позвонила просто так.

— Каюсь, не просто так. Может быть, встретимся, поговорим?

— Сейчас?

— А ты можешь сейчас?

— Господи, когда звонит такая женщина, я все могу, — хохотнул он.

— Здорово, значит, жду в кафе на площади, рядом с управлением.

— Через двадцать минут буду там, — заверил Севка.

Я вернулась в машину и поехала к площади, припарковаться там было невозможно, пришлось свернуть к парку и пристроить машину возле поликлиники.

В кафе было шумно, почти все столики заняты, на счастье, пока я крутила головой, высматривая себе место, стол в углу освободился, и я поспешила его занять.

Севка появился через десять минут. Улыбнулся мне и помахал рукой, я тоже улыбнулась в ответ, наблюдая, как идет он навстречу, уверенный, спокойный. Короткая стрижка, светлые волосы, неизменные джинсы, рубашка с короткими рукавами по случаю жары. Карие глаза смотрят весело, широкий нос, едва приметный шрам над верхней губой... Мы катались на коньках, дурачились, хлопнулись в сугроб. Я вырвалась и побежала, он вскочил следом, не удержался на ногах, упал и рассек губу. Я едва не лишилась чувств, увидев его окровавленное лицо. Потом мы поехали в травмпункт, где Севке наложили два шва, всю дорогу, туда и обратно, он старательно меня успокаивал, зажимая рот красным от крови платком, и чувствовал себя виноватым...

— Привет. — Он наклонился и поцеловал меня, потом сел напротив, взял мою руку, сжал, поднес к губам и долго смотрел мне в глаза.

— Прекрати, — улыбнулась я, освобождая ладонь. — Твоей жене это бы не понравилось.

— Мы развелись.

— Серьезно? — растерялась я.

— Конечно.

— Сашка мне ничего не говорил.

— А он и не знает. В общем-то, официально мы еще муж и жена, но... я снимаю квартиру и чувствую себя холостым... Ладно, про меня неинтересно. Как ты?

— Никак.

— Отлично. Ты его ждешь. — Севка не задавал вопрос, он просто сказал, вздохнул, посмотрел в окно, а потом улыбнулся мне.

— Конечно, — ответила я. — А что я могу еще делать?

— Не очень хорошие дела, а?

Я засмеялась.

— Я всегда утешаю себя тем, что могло быть еще хуже, ну и, конечно, после подобного утешения дела становятся еще хуже.

— Что случилось? — спросил он серьезно.

— Мне звонит по ночам один тип, я не знаю, кто он, думаю — друг Ильи. Сегодня вдруг сказал, что в ту ночь, когда арестовали Илью, он видел мою машину на перекрестке Перекопской. Я поехала туда и... Слушай, ты знаешь об убийстве на Катинской пять лет назад?

— Постой, при чем здесь это? — не понял Севка.

— Знаешь?

— Разумеется, я им занимался. И что? Какое оно имеет отношение к твоей машине?

— Никакого, если не считать того, что через двор от Перекопской, где стояла машина, до дома номер семь по Катинской две минуты ходьбы.

— И что? — снова не понял он.

Я пожала плечами:

— Не знаю. Назовем это интуицией.

— По-моему, это не интуиция, а полнейшая чушь. Какой-то псих звонит ночью и говорит, что якобы видел твою машину. Ты веришь ему на слово, узнаешь, что по соседству в ту ночь совершено убийство, и решаешь, что оно имеет к тебе какое-то отношение.

— Не ко мне, — терпеливо ответила я, продолжая улыбаться, — а к событиям той ночи.

— Послушай, все давно в прошлом, Илья скоро вернется и...

— И? — усмехнулась я.

— Все будет хорошо, у тебя и у него, у вас, я имею в виду. — Он отвернулся и стал смотреть в окно.

— Вряд ли. Думаю, я Илье не нужна. Иначе он не стал бы хранить молчание все эти годы.

— Ты не права...

— Господи, тебе-то откуда знать? — удивилась я.

Севка закусил губу, такого за ним раньше не водилось.

— Все равно я не понимаю, при чем здесь это убийство на Катинской?

— Я же сказала: интуиция. Что-то мне подсказывает, что какое-то отношение к событиям той ночи оно имеет.

— Уверяю, абсолютно никакого.

— Ты ведь знаешь, что Илья не убивал? — спросила я.

— Знаю, то есть я считаю, что он не убивал. Его подставили. Кто-то убил этого Андрея, да так ловко все обстряпал... Шито белыми нитками, а сработано прекрасно... извини...

— Тебе не за что извиняться. — Я закурила и попыталась сформулировать свою мысль: — Думаю, в ту ночь подставили не только Илью, но... и меня.

— Я не понимаю, — покачал он головой.

— Я пока тоже. Но очень хочу понять. Илья ушел из нашей спальни влюбленным мужем, а через несколько часов просто вышвырнул меня из своей жизни. Я должна знать, что произошло той ночью.

— Ну, хорошо, хорошо, это вполне понятно. Через несколько дней Илья вернется. Чего же проще: спросить у него. Сесть и спокойно все обсудить.

— А он захочет? — усмехнулась я.

— Он тебя любит, — сказал Севка и вздохнул.

— Он любил меня. До той ночи.

— Ты зря это затеяла, — помолчав, начал он. — Сейчас, когда прошло столько лет, вероятность что-то выяснить практически равна нулю.

— У меня есть время, и я хочу попробовать.

— Увлекательная игра в сыщики?

— Сашка тоже так считает, — кивнула я.

— Он знает о том, что ты затеяла?

— Я, в общем-то, ничего не затевала. Сходила в библиотеку, а потом съездила на ту самую улицу, вот и все. Расскажи мне об этом убийстве.

— Не понимаю зачем, — проворчал он. — Хорошо, хорошо. Хозяин квартиры Терин Иван Кузьмич, по кличке Большой, пригласил к себе двух своих друзей, если так можно выразиться. На встрече также присутствовали три телохранителя, по совместительству шоферы. Приблизительно в

1.35 некто, вооруженный автоматом, вошел в дом и перестрелял всех, после чего скрылся. Вот и вся история.

— Двое охранников умерли позднее.

— Точно. Один по дороге в больницу, не приходя в сознание, другой на следующий день.

— Тоже не приходя в сознание?

Севка кивнул.

— Не могу понять, почему тебя это интересует?

— Я пока тоже. Из статьи удалось кое-что почерпнуть между строк. Большой пригласил двоих дружков, тоже больших парней, так?

— Ты смотришь гангстерские боевики? Не ожидал.

— Нет, я читала «Крестного отца». Давай вернемся к убийству, точнее — к расстрелу. Некто входит и очередью из автомата укладывает шесть человек. Вопрос: как он вошел, если в доме собрались большие парни да еще с охраной?

— Нас этот вопрос тоже интересовал, жаль, задать его было некому.

— Хорошо, тогда, может быть, ты ответишь на второй вопрос: кому понадобилось это убийство?

— Могу по памяти перечислить человек десять, и это только те, кого я знаю. Кстати, в этом списке был бы и твой Илья, — усмехнулся Севка. — Да-да, старики всегда действуют молодым на нервы, они теряют гибкость и, с точки зрения молодых, мешают прогрессу. Убийство, конечно, было заказным, киллер скорее всего со стороны, из своих вряд ли бы кто рискнул. В таких случаях на убийцу можно выйти лишь по чистой случайности. Люди Большого, можешь мне поверить, искали тоже, но ничего не нашли.

— А вы тщательно искали? — усмехнулась я.

— Честно? Не очень. Троих весьма опасных старичков некто спровадил на тот свет. Не могу сказать, что нашу контору это сильно расстроило, скорее наоборот.

Я опять усмехнулась, и Севка в ответ тоже.

— Хорошо, — немного подумав, продолжила я. — Подойдем с другой стороны. Старички уступили место... кому? Кому их смерть явно пошла на пользу?

— Здесь тоже человек пять наберется. Например, небезызвестный тебе Мирон. Хотя я очень сомневаюсь, что он отважился бы на подобный шаг, я имею в виду расстрел. Опять же Илья, не сядь он в тюрьму, смог бы в должной мере воспользоваться сложившейся ситуацией.

— Ты уже дважды назвал его имя. Ты имеешь в виду что-то конкретное?

— Нет, — откинувшись назад, покачал головой Севка. — Таким образом я просто иллюстрирую свою мысль о том, что в смерти Большого и его дружков было заинтересовано все подросшее к тому моменту криминальное поколение. Вот и все. И мне бы очень хотелось знать, почему тебя это так занимает?

— Я уже ответила.

Севка нервничал и даже не собирался скрывать это.

— Слышала выражение: «Что было — смерти, будущее — мне»? — спросил он.

— А если все осталось только в прошлом? — хмыкнула я.

— Так не бывает. Иногда всерьез кажется, что ничего хорошего в жизни уже не будет, но потом как-то... смиряешься и находишь кое-какие радости. Когда ты меня бросила, мне хотелось удавиться. Но было очень стыдно, что придется висеть с синим языком, свисающим до пупка. Эта веселенькая мысль удержала от глупости. А потом я влюбился, женился, а вот теперь развожусь. И честно скажу: чувство такое, точно только-только начинаю жить.

— Я за тебя рада, — сказала я.

Мы немного помолчали, тут я кое-что вспомнила и задала еще один вопрос:

— Сегодня я разговаривала с дворником на улице Катинской, он утверждает, что его сосед был свидетелем того убийства и тоже погиб.

— Да? — поднял брови Севка. — Такого я не помню... хотя... Нет. Скорее всего людская молва просто соединила два происшествия в одно. Ася, я тебя прошу, не занимайся ерундой, дождись Илью, поговори с ним... В любом случае, считает Илья тебя в чем-то виноватой или нет, от разговора он не откажется, вы ведь не чужие друг другу люди. И ты, не затевая игру в сыщики, будешь точно знать, что произошло той ночью.

— А если Илья сам не может ответить на многие вопросы? — невесело улыбнулась я. — Если он так же безрезультатно пытается понять, что же произошло в ту ночь?

— Маловероятно, — вздохнул Севка. — Одно могу тебе сказать совершенно определенно: ты идешь по ложному следу. Убийство на Катинской ничего тебе не даст.

— На 8 Марта, — широко улыбнулась я.

— Что?

— Улица теперь называется 8 Марта.

Мы еще немного помолчали, после чего во мне пробудилась совесть, и я вспомнила, что Севке надо бы отобедать, да и мне тоже.

Набив желудки до отказа, мы вышли на улицу.

— Ты на машине? — спросил Севка.

— Да, если не возражаешь, я тебя провожу.

— Конечно, не возражаю, — улыбнулся он.

— Прогуляемся? — Я взяла его под руку, и мы направились через площадь.

— Снова будешь вопросы задавать? — еще шире улыбнулся он.

— Нет. Не буду. Вижу, тебе это не нравится.

— Мне не нравится, что ты интересуешься всем этим. Люди помнят, чья ты жена. Вполне возможно, слух о том, что ты задаешь вопросы, дойдет до тех, кому это покажется очень интересным.

— И что?

— Ты не хуже меня знаешь, что.

— Будем считать, нездоровое любопытство я удовлетворила, и теперь мы просто гуляем.

Он обнял меня и сказал насмешливо:

— Не могу поверить... Я рад, что ты больше не сидишь взаперти, даже если тебе и пришла фантазия стать сыщиком. Ты улыбаешься, держишь меня за руку и даже пробуешь шутить.

— Неважно выходит?

— Я же сказал: уже кое-что. Я люблю тебя,

пускай не так, как раньше, по-другому, но все равно очень люблю и хочу, чтобы ты улыбалась.

— Спасибо, — серьезно сказала я и поцеловала его.

Я проводила Севку до работы и через парк вернулась к машине. В парке было прохладно, старички сидели на скамейке и приглядывали за расшалившимися детишками. Я устроилась в траве под огромной липой, запрокинула голову и стала смотреть в небо. «Севка прав, какое отношение убийство на Катинской может иметь к Илье, а тем более ко мне самой?»

— Никакого, — вслух ответила я.

Однако то, что я почувствовала, натолкнувшись взглядом на заметку в газете, очень напоминало озарение. А интуиция подсказывает, что в этом что-то есть. Я засмеялась.

— Чепуха, конечно. Хотя, может, и не чепуха. Севка считает, убийство было выгодно многим. И устранение Ильи — тоже. Вдруг некто очень мудрый каким-то образом соединил все это в тугой клубок, задействовав к тому же мою машину. Пусть это выглядит глупым, но останавливаться на полпути и даже в самом начале — я не люблю. А там посмотрим.

Я поднялась, отряхнула юбку и заспешила к своей «девятке». По дороге заехала в магазин и купила себе платье. Нежно-голубое. Оно очень шло к моим глазам, я улыбнулась, глядя в зеркало, и даже подмигнула своему отражению. Снимать платье не стала, расплатилась и поехала домой.

Квартира показалась мне темной и пыльной.

«Точно склеп», — подумала я. Открыла окна,

потом, прихватив телефон, вышла на лоджию. Через 09 узнала нужный мне номер и терпеливо слушала длинные гудки, наконец трубку сняли.

— Простите, — сказала я. — Могу я поговорить с В. Артемовым?

— С Володей? Он у нас уже давно не работает, около года.

— А где его можно найти? — ласково спросила я.

Мужчина на другом конце провода задумался.

— Я дам вам его домашний телефон, попробуйте позвонить.

Судя по номеру, с Артемовым мы жили в одном районе, как выяснилось через некоторое время, в трех троллейбусных остановках друг от друга. Трубку снял ребенок, по голосу мальчик лет пяти.

— Артемова можно? Володю...

— Сейчас, — важно ответил он и позвал: — Пап...

— Слушаю. — Голос звучал странно, точно мужчина дышал с трудом.

— Извините, — начала я не без робости. — Пять лет назад вы написали статью об убийстве на Катинской, не могли бы мы встретиться и поговорить?

— О чем? — удивился он.

— Мне трудно объяснить это в двух словах. Я не отниму у вас много времени, а для меня этот разговор очень важен.

— Кто вы? Журналистка?

— Нет. Извините, мне действительно сложно объяснить, кто я и почему интересуюсь этим

56

убийством. Может быть, мы все-таки встретимся и поговорим?

— Я думал, все уже забыли об этом убийстве, столько лет прошло.

— Собственно, меня интересует другое убийство, происшедшее в ту же ночь. Что-то подсказывает мне, что они как-то связаны.

— А-а, вы имеете в виду дело Летчика? — Я не сразу сообразила, что речь идет об Илье, в моем присутствии никто и никогда не называл его так.

— Да, если Летчик — это Илья Верховцев.

— Понятно... Он ведь должен скоро выйти на свободу. Так? А вы кто?

— Я его жена... бывшая.

Он думал полминуты, не меньше, потом сказал:

— Что ж, давайте поговорим, правда, я не знаю... Хорошо. Я освобожусь через час. Живу на Мичурина, за гастрономом скверик, вот там и встретимся, если не возражаете.

— Не возражаю, — обрадовалась я.

— Значит, через час, — вздохнул он.

Я выпила кофе и потянулась за сигаретами. Если нет силы воли разом порвать с пагубной привычкой, следует себя контролировать и время от времени шлепать по рукам. Сейчас, например, как раз такой случай. Я отшвырнула сигареты в сторону и расслабленно сидела в кресле, наблюдая за птицами и поглядывая на часы. Через сорок пять минут торопливо покинула квартиру.

Скверик был совсем маленький, десяток деревьев, кусты, узкие асфальтированные дорожки. Собачий рай.

На единственной скамейке возле входа сидел мужчина в полосатой футболке и читал газету, то и дело поправляя очки с толстыми линзами. Рядом весело носился персиковый пудель.

— Вы Володя? — спросила я, подойдя ближе, пудель принялся тявкать, а мужчина поднялся, кивнул мне и спросил:

— А вы — Анастасия, я не ошибся?

— Нет, но лучше Ася, привычнее.

— Присядете или прогуляемся?

— Лучше прогуляемся, — кивнула я. И мы пошли по асфальтовой дорожке, пудель весело несся впереди.

— У меня сразу вопрос: почему вы считаете, что убийство на Катинской как-то связано с делом вашего мужа?

— Я не считаю, — подумав, ответила я и попыталась объяснить, почему это убийство меня заинтересовало.

Он слушал внимательно, иногда кивал и шел рядом со мной по траве, потому что дорожка была очень узкой.

— Кажется, я вас понял, — сказал он, когда я наконец замолчала. — Меня моя интуиция никогда не подводила, почему же я должен сомневаться в вашей? Дело на Катинской очень странное. И не потому, что расстрелять трех авторитетов оказалось так просто. Странности встречались на каждом шагу, по крайней мере, так мне тогда казалось. Странно вели себя милицейские чины, хранили обет молчания медики... От журналистов все шарахались, словно от прокаженных. Конечно, влезать в разборки бандитов занятие опасное, это я очень скоро понял по себе...

— У вас были неприятности?

— Ничего особенного. Просто жену три дня подряд сопровождали с работы до самого подъезда, а потом встретили меня и попросили вполне вежливо: «Не лезь». И я не полез. — Он засмеялся, глядя куда-то в сторону, и добавил с обидой: — Хотя чувствовал — что-то там... в общем, мой звездный час не наступил. Теперь эта история никому не нужна, то есть неинтересна.

— Не совсем, — заметила я, а потом спросила: — Вы ушли из газеты?

— Ушел. Я на инвалидности, астма, сердце... Пытаюсь понемногу работать, чтобы не отстать от жизни и не лишиться навыков. У меня дома целая папка материалов по этому делу, если хотите, можете взять ее.

— Вы серьезно? — удивилась я.

— Конечно. Если они вам пригодятся, буду очень рад. Только одна просьба: раскопаете что-нибудь, позвоните. Я любопытен до безобразия.

Он кликнул пуделя, и мы пешком отправились к его дому, жил он буквально в нескольких шагах от скверика. В квартиру подниматься я не стала, ждала возле подъезда. Володя вернулся меньше чем через пять минут.

— Перед тем как встретиться с вами, я нашел ее и просмотрел еще раз, — пояснил он.

Я взяла папку и сказала:

— Спасибо.

— Удачи, — ответил он.

Содержимое папки я бегло просмотрела еще в машине. Артемов прав: дело выглядело странным. Еще одна особенность содержавшихся в папке бумаг: я насчитала несколько знакомых фамилий. Сложила все снова в папку, завязала тесемки и поехала домой.

Телефон я услышала, когда отпирала дверь, торопливо вошла, сняла трубку и узнала Севкин голос:

— Это я.

— Привет, — весело отозвалась я.

— Как дела?

— Отлично. Купила новое платье.

— Да? Это здорово. Не хочешь похвалиться?

— Господи, я же забыла: ты теперь холостой.

— Точно, и очень люблю оценивать новые платья. Оно голубое?

— Да, — засмеялась я. — Как ты догадался?

— Я способный. А как насчет сегодняшнего вечера?

— Сегодня не выйдет, — вздохнула я. — Есть дело.

— А доктор Ватсон тебе не нужен?

— Сегодня вечером? Нет. Возможно, он понадобится мне завтра.

— Хорошо, тогда позвоню завтра.

Я повесила трубку и задумалась, разглядывая фотографию на стене.

— Севка нервничает, — сказала я громко. — И мой любимый старший брат тоже. Крутые парни считают, что я валяю дурака да к тому же рискую...

Телефон зазвонил вновь, я вздрогнула от неожиданности. Сашка, судя по голосу, очень гневался:

— Что за ерунду Севка городит? — без предисловий начал он.

— Что ты имеешь в виду? — попробовала я прикинуться дурочкой.

Сашка сурово помолчал, потом заявил категорично:

— Прекрати все это.

— Ты не понял, Саша, — настроилась я на терпеливое объяснение. — Тип, что звонит ночью, сказал, что видел там мою машину, и я склонна верить ему.

— Чушь. Подумай, кто мог взять твою машину? Я или Илья. Я ее не брал, Илья тем более. Прошу тебя, займись чем-нибудь серьезным: сделай новую прическу, купи десяток платьев, поменяй мебель в квартире, только не зли меня всякими глупостями. На кой черт тебе это убийство? Во-первых, оно не имеет к нам никакого отношения...

— Я так не думаю, — спокойно возразила я.

— Что? — опешил Сашка.

— Я не верю в совпадения и склонна считать, что мою машину действительно кто-то брал в ту ночь, я хочу знать: кто и зачем?

— Хорошо, — вздохнул Сашка. — Допустим, ты права. И что? Ты ведь всерьез не думаешь, что сумеешь найти убийц?

— Думаю, как только пойдет гулять слух о том, что я этим интересуюсь, они меня сами разыщут.

— О, черт! — выругался Сашка. — Ты издеваешься надо мной, да? Скажи на милость, кому все это нужно?

— Мне, — искренне удивилась я и попробовала проститься.

Однако отвязаться от Сашки дело нелегкое, особенно когда он пылает гневом. Прочитав мне лекцию минут на десять, он закончил ее весьма неожиданно:

— Болтаться с Севкой по городу было вовсе необязательно, особенно сейчас, когда он разводится с женой. Вряд ли это понравится Илье.

Пока я соображала, что следует ответить, Сашка повесил трубку.

— О, черт! — тоже выругалась я, но любимый старший брат этого уже не слышал.

Я устроилась в кресле, прихватив из кухни стакан молока, и стала внимательно разглядывать стену напротив. Неужели Сашка всерьез верит в то, что Илье интересно, с кем и как я провожу время? В этом месте я криво усмехнулась и покачала головой.

— А ревновать к Севке попросту глупо, — заявила я, точно оправдываясь, и неожиданно разозлилась на себя. — Возможно, не так уж и глупо, — минут через пять вынуждена была согласиться я и подумала о брате: приятно знать, что он всегда начеку, заботится о моей нравственности и все такое...

Мы с Севкой дружили с третьего класса. Он был в меня влюблен, в шестом классе я тоже полюбила его и любила до тех самых пор, пока в нашем доме не появился Илья Верховцев. С Сашкой он познакомился в летнем спортивном лагере, они подружились, а потом и вовсе стали закадычными друзьями.

Илья не отличался красотой. Выше среднего роста, широкоплечий, темные глаза смотрели насмешливо, но как-то так получалось, что, где бы он ни появился, сразу же привлекал всеобщее внимание.

Я влюбилась в него буквально с первого взгляда. Услышав звонок, открыла дверь, он улыбнулся, спросил:

— Саша дома?

Я ответила:

— Да, — распахивая дверь пошире, чтобы он смог пройти, и тут же поняла... в общем, все, что положено понимать юной особе в подобной ситуации.

Конечно, он вовсе не обращал внимания на меня, в ту зиму ему исполнилось восемнадцать, и я для него была только младшей сестрой друга.

Как водится, я вздыхала, страдала, писала ему длинные письма, которые тут же рвала на мелкие кусочки, и считала, что жизнь моя навеки погублена. Потом он поступил в летное училище, уехал, и встретились мы только через восемь лет. Училище он так и не закончил, неожиданно для всех круто изменив свою жизнь. Вернулся в родной город, с Сашкой они по-прежнему дружили, но у нас он появлялся редко, и встретиться все никак не получалось. До того самого дня, когда Севка сделал мне предложение.

К этому моменту я уже смирилась с мыслью, что Илья никогда не будет моим, думала о нем все реже и без особой печали. Севка же был всегда где-нибудь поблизости. Мы учились в одном университете, я на филологическом, он на юрфаке, и как-то само собой получалось, что нам следует идти по жизни рядом. На последнем курсе он сделал мне предложение. Вечером провожал домой и вдруг сказал:

— Слушай, давай поженимся, а?

— Давай, — кивнула я, не задумываясь.

Дома Севка сделал предложение по всем правилам: просил моей руки у мамы. Особого удивления это не вызвало, и свое согласие мама дала с заметной охотой, поила нас чаем с яблочным пирогом, мы возбужденно болтали, строили планы, тут дверь открылась, и в кухне появились Сашка с Ильей.

— Саша, — торжественно обратилась к нему мама, — твоя сестра собралась замуж. Как единственный мужчина в семье, ты должен принять решение.

— Жених — ты, что ли? — хмыкнул Сашка, с Севкой они всегда ладили и, можно сказать, были друзьями.

— Я, — засмеялся тот.

— Хорошо, подумаю, — неожиданно серьезно ответил Сашка. — Все равно, пока университет не закончили, о свадьбе разговора нет.

Мама растерянно притихла, Севка стал было возражать, но Сашка повторил в своей обычной манере:

— Я уже все сказал.

Они с Ильей устроились за столом, а я боялась глаза поднять. Севка заторопился домой, выглядел он обиженным. Я стала мыть посуду. Илья курил, устроившись на подоконнике, смотрел на меня с улыбкой и вдруг сказал:

— Ты очень красивая.

— Да? — то ли обрадовалась, то ли испугалась я.

— Когда ж ты успела вырасти? — засмеялся он.

— Восемь лет прошло, — пожала я плечами.

— Восемь? — не понял он.

— Восемь лет назад ты уехал в училище. Потом мы виделись еще четыре раза, но ты, наверное, не помнишь.

— А теперь ты выходишь замуж? — усмехнулся он.

— Ты слышал, что сказал мой брат, — ответила я. — Надеюсь, он все-таки даст свое высочайшее согласие.

Мы еще немного поболтали, потом они ушли в Сашкину комнату, а я в свою и не спала всю ночь.

На следующий день я сказала Севке, что со свадьбой в самом деле торопиться не стоит, никуда она не убежит, а вот диплом — это ох как серьезно!

Университет мы закончили, по студенческому обычаю основательно обмыли это событие, и через неделю Севка вновь появился у нас. Теперь он обращался исключительно к Сашке. Я сидела в кресле и рассматривала свои ногти. Сашка посмотрел на меня, на Севку и заявил:

— А что за спешка? Какие-нибудь проблемы?

— С ума сошел! — ахнула я.

— Тебя не спрашивают, — отрезал он. — Я с твоим парнем разговариваю. Устройтесь на работу, я к октябрю вопрос с квартирой решу, освобожу вам жилплощадь.

— Слушай, чем я тебе не нравлюсь? — зло спросил Севка.

— Не в этом дело...

— А в чем?

— Вот в ней. — Сашка ткнул в меня пальцем и жестко произнес: — Она тебя не любит. Ты отличный парень и мне нравишься. Только сестра у меня одна.

Я вскочила, крикнула:

— Не смей вмешиваться в мою жизнь! — И мы впервые поскандалили с моим старшим братом.

Я кричала, топала ногами и в заключение ушла с Севкой, правда, недалеко: до угла дома, здесь мы простились, решив завтра же подать заявление.

Сашка сидел в кухне мрачнее тучи, мама гладила его плечо и терпеливо уговаривала не волноваться, меня это оскорбило до глубины души, и я отправилась спать.

Утром мне позвонил Илья, поздоровался и заявил:

— Разве ты не знаешь: старших надо слушать?

— О чем ты? — удивилась я.

— Об этой твоей свадьбе. Может, не стоит спешить?

— Может, вы с моим братом отправитесь к черту вместе с вашими советами?

— Может... — засмеялся он.

Из упрямства я поехала с Севкой подавать заявление.

Вечером собрались у нас, чтобы отметить это событие, Илья сидел напротив и усмехался. Я краснела и злилась.

Он приходил каждый день, говорил мало, но глаз с меня не спускал. Где-то через месяц встретил возле подъезда, взял за руку, спросил с неизменной усмешкой:

— Ты его любишь?

Я разозлилась, вырвала руку и крикнула:

— Не смей так смотреть на меня!

— Хорошо, я буду смотреть под ноги. Ты его любишь?

— Конечно.

— В самом деле? — улыбнулся он.

— Если ты решил продолжать в том же духе, мне следует пожаловаться брату.

Я в самом деле нажаловалась, в тот же вечер. Сашка кивнул и заявил:

— Я с ним поговорю.

Илья больше не появлялся, а я начала томиться. Предсвадебные хлопоты раздражали, платье не радовало, а Севка действовал на нервы.

— Все решено, — твердо заявила я и посоветовала себе стиснуть зубы.

До свадьбы оставалась неделя. Поздно вечером в дверь позвонили, открыл Сашка, я вышла из своей комнаты и увидела Илью.

— Привет, — сказал он и взял меня за руку. — Поехали.

— Куда? — опешила я.

— Какая разница? — Он повернулся к Сашке и добавил: — Ты мне, конечно, друг, но я ее люблю.

— Ты спятил, что ли? — вроде бы растерялся мой брат.

— Нет, конечно. Но если позволю ей выйти

замуж, наверняка свихнусь. Так что извини, придется тебе это как-то пережить.

— А у нее ты спросил? — повысил голос Сашка, приходя в себя.

— Ее слова сейчас ничего не значат, — заявил Илья. — Вбила себе в голову какую-то чепуху и будет стоять насмерть — в этом вы похожи, родные как-никак. Успокоится, начнет рассуждать здраво.

— Упрямиться я не собираюсь, — решила я вмешаться, раз дело напрямую касалось меня. — Я тебя люблю, и незачем прикидываться, будто ты этого не знаешь.

— Видишь, как все просто, — пожал Илья плечами, обернувшись к Сашке.

— Да вы спятили. А свадьба, а гости? Всем уже приглашения разослали. А что ты Севке скажешь, несчастная?

Я испуганно замерла, а Илья кивнул:

— Севке скажу я. А заняться всеми остальными делами придется тебе. Ты поспокойнее, сам подумай, для чего ж еще нужны друзья?

Я фыркнула, прикрыв рот ладонью. Илья уже тащил меня за руку из квартиры, а Сашка стоял открыв рот.

— Куда ты ее тащишь? — опомнился он, когда мы уже были на лестнице. — Ладно, не будет никакой свадьбы. Верни сестру, придурок.

— Не могу я рисковать, Саша. Хоть убей, но я забираю ее с собой. Насядете на девчонку всем скопом, уговорите чего доброго. У меня жизнь одна, и прожить я ее хочу счастливо. — Свою речь он закончил уже на улице.

Мы сели в машину, помахали Сашке рукой, он к этому моменту вышел на балкон, в ответ постучал братец кулаком по лбу и покачал головой. Потом засмеялся и ушел в комнату. А мы уехали.

Через два месяца сыграли свадьбу. Севка настоял на том, чтобы быть свидетелем. По мнению мамы, это было ни на что не похоже, один свидетель — брат невесты, другой — бывший жених.

— Что вытворяете? — вздыхала она, качая головой, а я смеялась и была счастлива. До того самого дня, когда арестовали Илью.

Брак наш не был совершенно безоблачным. Поначалу я просто радовалась, что я его жена, потом стала обращать внимание на некоторые вещи. Пугалась, на многое закрывала глаза, пока однажды не спросила:

— Илья, ты кто?

— Я? — удивился он. — Твой муж. А у тебя есть сомнения в этом?

— В этом — нет. Меня беспокоит другое. Вот я, например, учитель русского языка и литературы, а кто ты?

— А я несостоявшийся летчик, сейчас вроде бы бизнесмен.

— Вроде бы?

— Не придирайся к словам.

Я вздохнула и жалобно попросила:

— Илья, пожалуйста, поговори со мной.

— Вот что, маленькая, давай договоримся сразу: есть вещи, о которых женщине лучше не знать. Я люблю тебя, и у нас все будет хорошо. Как сейчас. А если услышишь обо мне что-нибудь плохое, просто не обращай на это внимания.

— Разве я смогу не обращать внимания? — возмутилась я.

— Если любишь, сможешь.

Он оказался прав: я смогла.

...В дверь позвонили, я пошла открывать, опасаясь того, что увижу на пороге разгневанного брата. На пороге стояла соседская девчонка Марина с черным котенком в руках.

— Тетя Ася, возьмите котика, — со слезой в голосе начала она. — Я принесла, а мама не разрешает. У него и блюдце есть...

— Заноси, — улыбнулась я.

Мы накормили котенка, а потом, устроившись на полу, немного поиграли с ним.

— Можно, я схожу с ним во двор? — попросила Марина.

— Можно, — согласилась я.

Марина с котенком, которого мы решили назвать Мурзиком, ушла, а я перебралась в кресло и взяла папку с бумагами. Минут через пятнадцать позвонила Артемову. Трубку взял он сам.

— Володя, извините, это Ася.

— Возникли вопросы?

— Пока только один. Сегодня, разговаривая с дворником, я узнала об убийстве соседа, который якобы что-то увидел в ту ночь.

— Да-да, в бумагах это есть. Перфильев Иван Игнатьевич. Я с ним не разговаривал, не успел. Точнее, о том, что он якобы что-то видел, я узнал уже после его гибели. Горький пьяница, нигде не работал, в квартире его вечно кто-то выпивал, ну и ему кое-какие крохи перепадали, вы понимаете... Очень сомнительно, что он в самом деле что-то знал... Да и его убийство больше было похоже на драку по пьянке. Не поделили что-то собутыльники, один другого ударил, да не рассчитал. А про то убийство он мог все выдумать, просто так, чтобы кто-то послушал да рюмку налил...

— Понятно, — вздохнула я и попрощалась. Потом посмотрела на часы. Адрес в бумагах был, отчего не съездить наудачу? Вдруг кто-то из соседей вспомнит его рассказ?

Я быстро собралась, отыскала во дворе Марину, оставила ей ключ, попросила присмотреть за Мурзиком и на машине отправилась на бывшую Катинскую.

Дом номер пять тонул в кустах акации. Пенсионеры на скамейке отсутствовали, а жаль...

Я вошла в подъезд и позвонила во вторую квартиру. Дверь открыл мужчина неопределенного возраста, нечесаный, заспанный и явно страдающий с перепоя.

— Простите, — улыбнулась я. — Я ищу родственников Ивана Игнатьевича Перфильева.

— А зачем они вам? — удивился мужчина.

— Я работаю в газете, — с ходу принялась врать я, надеясь, что, страдая с перепоя, человек забудет спросить у меня документы. — Пишу статью о нераскрытых убийствах, происшедших в нашем городе. Одно из таких, очень загадочное, произошло пять лет назад в соседнем доме. В редакции мне сказали, что...

Парень не дал мне договорить, мотнул головой и посторонился.

— Ладно, проходите, зовут меня Серега, я сын

Ивана Перфильева. Батина квартира мне по наследству досталась, на беспорядок внимания не обращайте, живу один, а сейчас в запое. Сами понимаете, не до уборки.

Квартира была однокомнатной. Выглядела она так, точно пережила землетрясение и минимум один пожар.

— Не очень, да? — хмыкнул парень, наблюдая за мной. — На кресло садитесь, оно чистое, свое шикарное платье не испачкаете.

Он плюхнулся на диван, посмотрел на меня оценивающе и спросил:

— Курите?

— Курю.

— А сигаретой угостите?

— Пожалуйста.

Мы закурили, я приглядывалась к хозяину, силясь определить, что за человек передо мной.

— У меня два высших образования, — весело сообщил он. — И неуемная тяга к этому делу. — Парень щелкнул себя пальцем по горлу. — Наследственное. Батя был хронический алкаш, ну и я следом... Значит, тем убийством интересуетесь? — сменил он тему.

— Интересуюсь, — кивнула я. — Отец вам о нем что-нибудь рассказывал?

— Батя хоть и алкаш, но дураком не был. А также на тот свет не спешил. Поэтому рта не раскрывал. Уже когда его убили, мамаша соседям похвастала, что, мол, батю из-за этого дела пристукнули.

— Ясно. Значит, ваш отец на самом деле ничего не видел, а это все выдумки вашей матери?

— Нет. Батя что-то видел. Но языком не трепал, рассказал только менту, который здесь крутился, следствие вел. Они вот в этой комнате вели задушевную беседу. Мамаша пыталась подслушать, но батя ее шугнул. А когда мент ушел, стал беспокоиться, мол, не свалял ли он дурака, все рассказав, теперь затаскают по судам и все такое. Мамаша опять к нему с расспросами полезла, а он ее отшил: «Не лезь и все, мол, чем меньше знаешь, тем дольше проживешь». Вечером батя пошел в соседский двор в домино играть и назад уже не вернулся. В пять утра возле подъезда его дворник обнаружил с пробитой головой. Вот и вся история.

— Если ваш отец никому не рассказал о том, что увидел в ту ночь, возможно, его убили по другой причине. Пьяная ссора...

— Вы не поняли. Отец все рассказал менту. И через несколько часов был убит.

Видимо, на моем лице слишком явственно отразилось изумление, потому что парень неожиданно расхохотался.

— Что, не верите? — спросил он через пару минут и покачал головой. — Еще бы... А вы знаете, кого здесь расстреляли из автоматов? Троих авторитетов. Кому это было нужно и что такого увидел мой отец? И почему испугался, когда менту все рассказал?

— Кажется, я поняла, что вы имеете в виду, — подумав, кивнула я.

— Такая версия для газеты не подходит? — усмехнулся он.

— Не в этом дело. Просто маловероятно, что убийство было совершено сотрудниками милиции.

— В милиции тоже люди. Причем разные. Собрались единомышленники с автоматами, предъявили документ, вошли, открыли пальбу и избавили город от криминальной верхушки. Неплохо, правда?

— Это вы сами придумали или отец вам все-таки что-то рассказал?

— Отец что-то рассказал менту и поплатился за это жизнью.

— А фамилию этого самого мента вы не запомнили?

— Нет, меня в то время не было в городе, но, как он выглядел, могу сообщить: молодой, высокий, светлые волосы, симпатичный, и улыбка у него хорошая — вот так примерно. Я ведь этим тоже интересовался... Можете съездить к маме, адрес я дам. Только о том убийстве она точно ничего не знает. А вот про мента, возможно, и расскажет чего. Память у старушки железная.

— Вы ведь не думаете всерьез, что вашего отца убил милиционер? — спросила я.

— Батя был, конечно, алкаш и пользу государству приносил мизерную, да и то сомнительно, но и алкашу голову пробивать все-таки не следует. Так что убийца, кто бы он ни был, должен сидеть в тюрьме... Адрес написать?

— Напишите, — кивнула я.

Через пять минут я уже сидела в машине, зачем-то включила дворники и наблюдала за ними. Конечно, доверять словам этого парня довольно глупо, в перерывах между запоями он, должно быть, смотрит боевики, а на досуге любит пофантазировать.

И все-таки что-то меня очень беспокоило. Может, Сашка прав, я в самом деле занялась ерундой и это убийство никакого отношения к Илье не имеет? Однако, если уж начала, стоит во всем этом еще покопаться.

Я выехала на проспект и взглянула на данный мне адрес. Улица Первомайская находилась в северном районе, довольно далеко отсюда. Визит я решила отложить. Проехав пару кварталов, заметила вывеску ресторана «Славянка» и вспомнила, что не позаботилась об ужине. Конечно, можно перекусить в клубе у Сашки, но сегодня я не расположена встречаться с любимым старшим братом. Вновь взглянула на вывеску. Когда-то мы любили заезжать сюда... Я решительно свернула, нашла место на стоянке и направилась к дубовым дверям, украшенным разноцветными лампочками. Было светло, и иллюминацию еще не включили.

Зал выглядел пустынным, занято всего несколько столов, я села в глубине, неподалеку от эстрады. Тут же подошла официантка и приняла заказ.

Я откинулась на стуле, машинально потянулась за сигаретой, но вовремя одернула себя:

— С сегодняшнего дня бережем здоровье.

Девушка вернулась, расставила передо мной тарелки и с улыбкой пожелала приятного аппетита. Я ела, размышляя о недавнем разговоре, и не сразу заметила Мирона.

— Привет, — сказал он, я повернулась и узрела его по соседству со своим столом.

— Здравствуй, — ответила я без всякой радости. Он взял стул и уселся напротив. Взгляд колючий. Дорогой костюм сидел на нем как седло на корове, а в целом Мирон выглядел паршиво: мальчиком на побегушках, каковым всегда и являлся.

— Зачем пожаловала? — спросил он, я удивилась, пожала плечами и указала на тарелку. Он хохотнул. — Да неужели? Поужинать заехала?

— Почему тебя это удивляет? — не поняла я.

— Потому что это мой ресторан, — хмыкнул он. Что-то новенькое, выходит, я здорово отстала от жизни.

— Я не знала, — посмотрев на него, сказала я. — Хочешь, чтобы я ушла?

— Вовсе нет, — усмехнулся он. — Окажи честь моему заведению.

— Брось паясничать. — Я поморщилась.

— Не могу поверить, что ты оказалась здесь случайно. — Он облокотился на стол и уставился на меня.

— Не можешь, не верь. Ехала мимо, вспомнила, что ужин дома меня не ждет, да и просто никто не ждет, увидела знакомое название и свернула. Если бы знала, кто здесь хозяин, конечно, проехала бы мимо. Извини, я не собиралась мозолить тебе глаза.

— Вот так, значит. А я думал, ты хочешь поговорить.

— О чем? — удивилась я.

— Илья возвращается, тебя это не беспокоит? Теперь усмехнулась я.

— Ты же знаешь, Илья меня бросил. Если он говорит «нет», это надо понимать буквально. Так что... — Я развела руками.

— Как ты думаешь, что он будет делать?

Наверное, я здорово вытаращила глаза, потому что Мирон неожиданно смутился.

— Ему здесь ничего не светит, — проронил он поспешно. — Решит все вернуть, наживет неприятности.

— Зря ты мне это говоришь, меня ваши дела не касаются.

Он засмеялся.

— Ты пять лет сидела сиднем, нигде не показываясь, а за две недели до его возвращения вдруг решила вести светский образ жизни?

— Может, мне просто надоело сиднем сидеть, — хохотнула я. — В конце концов, у Ильи своя жизнь, а у меня есть своя. Разве не так?

— Ты его больше не ждешь? — хмыкнул он.

— Жду, — ответила я. — Но это не значит, что он ко мне вернется.

— Пошли его к черту. Не так уж он и хорош, раз позволил упечь себя в тюрьму. Ты красивая баба, и на свете полно мужиков.

— Интересно, — улыбнулась я. — Не себя ли ты предлагаешь?

— А почему бы и нет?

— Действительно, — согласилась я. — Почему бы и нет?

— Говорят, он имеет на тебя большой зуб.

— Серьезно? А причина такой немилости тебе известна?

Мирон засмеялся.

— Он поймал тебя с любовником. Разве нет? Любовничка укокошил, а теперь ждет встречи с тобой.

Я отложила вилку в сторону и посмотрела на него.

— Мирон, сколько лет ты меня знаешь? Скажи, я похожа на женщину, которая наставляет рога своему мужу?

Мирон покачал головой и отвернулся, избегая моего взгляда.

— Тогда не очень понятно, почему Илья тебя бросил, — изрек он через некоторое время.

— Вернется, и узнаю, — пообещала я.

— Если он захочет тебя выслушать, постарайся втолковать Илье, что ему здесь ничего не светит. — Мирон придвинулся поближе и добавил, заглядывая в глаза: — И дело даже не во мне. Все очень изменилось. Очень. — Он кивнул, вроде бы хотел что-то еще добавить, но вместо этого откинулся на стуле, отвел взгляд и еще раз кивнул.

— Спасибо, — немного помолчав, ответила я. — Передам, разумеется, если он захочет меня выслушать, как ты сам только что отметил.

Я поискала глазами официантку, Мирон, сообразив, что я собираюсь расплатиться, хмыкнул и сказал:

— Брось. За счет заведения.

— Спасибо, — еще раз поблагодарила я и поднялась.

Он молча проводил меня до двери, я сказала: «До свидания», он кивнул в ответ и вроде бы порывался что-то сказать, но в последнее мгновение передумал, нахмурился, отрывисто бросил: «Пока» — и вернулся в зал.

Интересно, что он пытался донести до моего сознания, какая такая мысль вертелась у него на языке и почему он не рискнул ее высказать? Для давнего врага он вел себя довольно миролюбиво, и это тоже заставляло задуматься.

Я села в машину и с трудом покинула стоянку, какой-то умник оставил новенький «БМВ» прямо посередине дороги. Я покачала головой и улыбнулась.

Эту «восьмерку» я заметила на светофоре. Пропустив пару машин, она пристроилась позади меня. К дому я ехала не спеша, то и дело поглядывая в зеркало. «Восьмерка» висела на хвосте, изо всех сил стараясь быть незаметной. Навыков слежки у ребят не было, как, впрочем, и у меня навыков ведения следствия — и тут, и там сплошное дилетантство. Я засмеялась, а въезжая во двор, помахала рукой на прощание. «Восьмерка» стремительно набрала скорость и исчезла из поля зрения.

— Обиделись, — вздохнула я и поднялась к себе. Марина с Мурзиком играли в кухне.

— Мне домой надо, — вздохнула Марина и тут же попросила: — Можно я завтра приду? И погуляю с ним, котика надо приучать к улице.

— Буду тебе очень благодарна, — заверила я, после чего девчушка ушла, а мы с Мурзиком устроились на диване.

Часов с двенадцати я стала с нетерпением поглядывать на телефон. Приготовила постель, но спать не ложилась. Котенок клубком свернулся на подушке, а я кругами бродила по комнате.

— Ну, давай, позвони мне, — глядя на телефон, шептала я, боясь, что сработает закон подлости: то этот тип изводил меня звонками, а теперь, когда я очень жду, вдруг забудет о том, что я есть на белом свете.

Он не забыл, звонок раздался без трех минут час. Я торопливо сняла трубку, на том конце провода молчали.

— Эй, — позвала я. — Это ты? Ответь мне...

— Ну, я. — Он вроде был чем-то недоволен.

— Жду с двенадцати часов, боялась, вдруг не позвонишь.

— Да? С чего это ты стала ждать?

— Хочу узнать, где точно в ту ночь стояла моя машина.

— Там же, где и сегодня, — проворчал он.

— Ты меня видел?

— Конечно, видел, раз ты оставила тачку прямо под окнами...

— Так ты живешь в пятнадцатом доме, — усмехнулась я. — Окна выходят на проезжую часть...

— Ну и живу, — вроде бы разозлился он, надо полагать, рассекречивать себя он не собирался, поэтому теперь и нервничал.

— Может, мы все-таки встретимся и поговорим? — предложила я.

— О чем, интересно? Ты зачем приезжала, зачем тебе седьмой дом понадобился?

— Разведка донесла? — засмеялась я. — А седьмой дом мне понадобился, потому что в памятную для меня ночь там было совершено убийство.

— Ну и что, Илья-то тут при чем?

— Вот это я и хочу выяснить. Мне кажется, оно как-то связано с арестом Ильи.

— По-моему, это глупость, — заявил он. — Но, если хочешь, можем увидеться.

— Что-то случилось? — немного подумав, спросила я.

— Почему?

— Вчера ты не хотел со мной встречаться...

— Я передумал. Может человек передумать?

— Человек все может. Куда мне подъехать и во сколько?

— Давай завтра, то есть уже сегодня, часов в пять, я до четырех работаю. Приезжай в кафе «Русь», знаешь такое?

— Знаю. Может, познакомимся?

— Вовкой меня зовут... Я подойду. — Он кашлянул, сказал: — Пока, — и повесил трубку.

«Еще один Володя», — подумала я, припомнив Артемова.

С какой стати мой ночной мучитель вдруг поверил мне? Я прошлась по комнатс, машинально потянулась за сигаретами, взяла пачку и выбросила ее в форточку.

— На «нет» и суда нет, — сказала я самой себе, разведя руками, и легла в постель. Котенок жалобно пискнул, приподнял мордашку и тут же уснул вновь. Может, повезет — и я тоже усну?

Утро началось с телефонного звонка, я была в ванной, высунула руку и схватила трубку.

— Слушаю.

— Сашка у тебя ночевал? — Судя по голосу, Лерка уже либо выпила, либо пила со вчерашнего вечера, второе более вероятно.

Я вздохнула, подумала и ответила:

— Нет.

— А где?

— Лера, я не знаю. Он звонил мне днем, вечером мы не виделись.

— Твой брат — сукин сын! — заявила она и бросила трубку.

— Отлично, — сказала я, глядя на телефон. — Хорошенькое начало для хорошего дня, — после чего вернулась в ванную. Потом немного убралась в квартире и приготовила себе завтрак.

Я пила вторую чашку кофе, устроившись на лоджии, когда заметила фиолетовую иномарку, вроде бы «Фольксваген», она возникла во дворе и плавно затормозила возле моего подъезда. Из машины вышел Севка, постоял немного, задрав голову, я перегнулась через перила и помахала ему рукой, он в ответ улыбнулся и исчез в подъезде. А я пошла открывать дверь.

— У тебя новая машина, — заметила я, когда он вошел в квартиру.

— Ты отстала от жизни, эта машина у меня уже три года.

— Извини, действительно отстала. Должно быть, Сашка говорил мне, а я забыла.

— Кстати, о Сашке. Он звонил тебе?

— Звонил. Был жутко сердитый.

— Правильно, я на тебя настучал, просил мудрого старшего брата повоздействовать на легкомысленную сестру.

— Почему тебя это так беспокоит? — удивилась я. — Я занялась старой историей, которая теперь вряд ли кому интересна...

— Это ты так думаешь. И пять лет — не тот

82

срок, когда преступление перестает беспокоить. Ты улавливаешь, о чем я? Мне бы хотелось, чтобы ты нашла себе менее опасное развлечение.

— Это не развлечение, — ответила я, пытаясь смягчить резкость слов улыбкой.

— Да? — Севка поднял брови, криво усмехнулся и потом покачал головой, в общем, продемонстрировал бездну удивления. — Я думал, что тебя интересует Илья.

— Точно.

— А при чем здесь это убийство? Ты что-то там прочитала в газете и затеяла глупое расследование... — Он, кажется, по-настоящему злился, я даже растерялась.

— Господи боже, почему это так тревожит тебя? Я взглянула на дом, где произошло убийство, и задала людям пару вопросов. Повода особенно злиться на меня я не вижу.

— Я не злюсь. — Он стал пить кофе и даже попытался улыбнуться, минут через десять произнес, точно оправдываясь: — Убийство странное, да, именно такое определение к нему наиболее подходит... и нераскрытое. А тебя я люблю, и вполне естественно... в общем, ты поняла... Ладно. Какие у тебя планы на сегодня?

— С утра я хотела съездить на кладбище.

— К маме?

— Нет. Я хотела взглянуть на могилы.

— Постой... — Севка смотрел на меня в крайнем недоумении. — Ты имеешь в виду *их* могилы?

— Да, — кивнула я.

— А зачем тебе это?

— Есть вещи, которые трудно объяснить.

— Ясно. — Он усмехнулся, повертел головой, точно пытался обнаружить в комнате что-то необычное, и добавил: — Я сегодня свободен от работы и вообще от всего на свете. Хотел пригласить тебя за город, будет жарко. Но если ты предпочитаешь кладбище, что ж, поехали на кладбище.

— Тебе вовсе не обязательно, — начала я.

— Я знаю, навязываться некрасиво, но поделать ничего не могу. Думаю, наш поход не займет слишком много времени, мы успеем искупаться, а вечером я приглашу тебя поужинать. Как тебе такая программа?

— Здорово. Только в пять у меня встреча.

— Это касается твоего расследования? — проявил он любопытство.

— Да, мне звонил парень, который в ту ночь видел мою машину.

— В какую ночь? — не понял Севка.

— В ту, когда арестовали Илью.

— Разве ты куда-то уезжала в ту ночь?

— Нет, разумеется. Однако парень видел мою машину, и я думаю, что не только ее. Сначала он был настроен по отношению ко мне очень воинственно, но вдруг помягчел. Это тоже интересно. В общем, я рассчитываю кое-что узнать у него.

— Что это за парень?

— Не знаю. Думаю, кто-то из ребят Ильи. Зовут его Володя. Из разговора я поняла, что он живет на Перекопской в пятнадцатом доме, машина стояла под его окнами. И это меня вдохновляет: вдруг он действительно что-то видел?

— Ася, я не очень понимаю, зачем тебе все это? — осторожно спросил Севка.

— Севушка, — улыбнулась я и даже обняла его за плечи. — Я хочу вернуть Илью, неужели не понятно? Он считает, что я в чем-то виновата, а последние сорок восемь часов я склонна думать, что кто-то специально постарался, чтобы он так считал. Ты улавливаешь ход моих рассуждений?

— Улавливаю. А не проще ли поговорить с Ильей?

— Пять лет он не хотел со мной разговаривать, вдруг не пожелает и сейчас? Пожалуйста, не сердись и постарайся меня понять.

— Я понял, — кивнул он, вздохнул и сказал: — Что ж, поехали на кладбище.

Кладбище располагалось километрах в двенадцати от города в березовой роще. Машину мы оставили возле ворот и, войдя на территорию через калитку, не спеша двинулись по центральной аллее.

— Думаю, найти их могилы будет не так легко, — повертев головой, заметил Севка. Я была вынуждена согласиться с ним. — Ты ждешь, что надпись на могильном камне натолкнет тебя на гениальную идею? — хмыкнул он.

— Что-то вроде этого... сворачиваем, кажется, где-то здесь.

Мы потратили больше часа, прежде чем обнаружили первую могилу.

— Ну, вот, — обрадовался Севка. — Под сим камнем погребен Данилов Сергей Сергеевич, в старину про таких говорили «душегубец», сейчас их величают «авторитетами». «Покойся с миром», — прочитал он на плите черного мрамора.

— Да уж... А вот рядом друг и соратник, Тучин Петр Григорьевич.

Памятники были очень дорогие, а могилы ухоженные: бордюр из яркой зелени, цветущие бархатцы, розы в хрустальных вазах. Вазы, правда, вцементированы в основание памятника, как видно, былая слава покойничков не избавляла от банального воровства живых.

— Как насчет идей? — полез ко мне Севка.

— С гениальными туго, — созналась я.

Терина Ивана Кузьмича, по кличке Большой, найти оказалось делом нетрудным. Как видно, похоронили его днем раньше, могила находилась в соседнем ряду. Мраморный крест возвышался на два метра.

— Шибко верующий был человек, — развеселился Севка. — Таких надо хоронить прямо в церкви.

— Успокойся, — улыбнулась я. — Он уже пять лет покойник, а о них, как известно, плохо не говорят. Идем дальше.

— А как же идеи? — не удержался мой спутник.

— Вот отыщем всех, и они непременно появятся.

Однако отыскать удалось еще только одного: охранника и шофера Тучина. Тщательно прочесав все вокруг, могил еще двух охранников мы так и не нашли.

— Их могли похоронить в другом месте, — пожал плечами Севка, экскурсия его изрядно утомила и начала раздражать.

— А ты не мог бы узнать где? — попросила я.

— Господи, ну зачем тебе это?

— Ты не ответил, — еще шире улыбнулась я.

— Хорошо, я узнаю. Мне нужно сию минуту заняться этим или ты подождешь до завтра?

— Сию минуту вряд ли получится, — усомнилась я.

Севка засмеялся, взял меня за руку, и мы направились к центральной аллее.

— Заедем на озеро и искупаемся. На нашем старом месте, — предложил он уже в машине. — Жарко сегодня. Градусов тридцать.

— Двадцать восемь, — поправляя волосы, сказала я. — По крайней мере, столько обещали. Едем купаться, до пяти время еще есть.

На пляже было чересчур много отдыхающих, под деревьями сплошной стеной стояли машины, а детишки устроили возле берега такую возню, что о прозрачной воде оставалось только мечтать. С трудом мы смогли отыскать место поспокойнее и искупаться.

— Раньше здесь было тихо, — с тоской заметил Севка.

— Время идет, все меняется.

— Да, — кивнул он, посмотрел на меня и неожиданно брякнул: — Жаль, что ты меня никогда не любила.

— Какое это имеет отношение к наплыву отдыхающих? — попробовала отшутиться я.

— Никакого. Просто иногда мне кажется: жизнь не удалась.

Через полчаса мы покинули озеро. В город возвращались в молчании.

— Отвезу тебя домой и заеду на работу, — сказал Севка, когда мы миновали пост ГАИ.

— У тебя вроде бы выходной?

— Заехать все-таки надо, заодно постараюсь узнать, где похоронены два охранника.

— Ты прелесть, — сказала я и поцеловала его.

До пяти еще было много времени, и я устроилась на диване, прихватив с собой папку. Может, Севка прав, я просто развлекаюсь игрой в сыщики.

Севка позвонил около четырех.

— Ларионов Александр Федорович похоронен в деревне Покровка, там проживает его мать, и сам он родом оттуда, а Егоров Дмитрий Терентьевич по просьбе родных кремирован, мать его живет в Чебоксарах, она инвалид первой группы, перевезти тело сына на родину ей было не по силам, а хоронить здесь не захотела. Могила беспризорной останется. Еще задания есть?

— Адрес матери в Чебоксарах сообщить можешь?

Севка, кажется, лишился дара речи.

— Ты собралась в Чебоксары?

— На всякий случай, — хохотнула я.

— Что ж, записывай. — Я записала, а Севка сказал: — Я за тобой заеду.

— Ты забыл, в пять у меня встреча.

— Ну и что, поедем вместе.

— Не думаю, что Володе это придется по нраву.

— А как насчет вечера?

— Ты хотел пригласить меня поужинать.

— Тогда заеду в восемь. Надеюсь, к этому моменту ваша важная встреча уже закончится.

Я повесила трубку, взглянула на часы и вновь уткнулась в бумаги. Егоров Дмитрий Терентьевич, тот самый охранник, который скончался в больнице. Его труп кремировали. Почему это меня так насторожило? Вроде бы все объясняется вполне логично: он не имел здесь родных, мать инвалид, а перевезти гроб с телом на значительное расстояние — дело хлопотное.

В половине пятого я покинула квартиру и на машине отправилась в кафе «Русь». Располагалось оно в самом центре, в полуподвале. Вокруг магазинчики, большой цветочный магазин, парикмахерская и салон «Оптика», машину приткнуть просто невозможно, я пожалела, что не поехала на такси. Пришлось сворачивать к универмагу и оставить машину на платной стоянке. Часы показывали без десяти пять, и к кафе я почти бежала. Не застав меня, парень вполне мог уйти.

Только три столика были заняты, я села напротив входа и посмотрела на часы: без трех минут. Подошла официантка, я сделала заказ и уставилась на дверь. Прошло минут пятнадцать, за это время дверь ни разу не открылась. Я начала томиться, то и дело нервно поглядывая на часы. По-прежнему ничего не происходило. Я съела салат, выпила кофе и еще час просидела, глядя в окно. Володя так и не появился.

В половине седьмого стало ясно, что ждать его бессмысленно. Я расплатилась, вышла на улицу и огляделась. Прохожим не было до меня никакого дела. Все-таки еще минут двадцать я ждала возле дверей, потом решительно зашагала в сторону универмага. Должно быть, парень пошутил и со мной встречаться вовсе не собирался?

Я села в машину, завела мотор и некоторое время сидела, положив руки на руль. Потом решительно направилась на Перекопскую. Хочет парень или нет, а сегодня ему придется со мной встретиться.

Через двадцать минут я тормознула там, где оставляла свою машину вчера. Посмотрела на окна. Цветы на подоконниках. В открытой форточке сидел черный кот и с интересом посматривал на голубей. Дом двухэтажный, найти парня особого труда не составит, если он не соврал, конечно, и его действительно зовут Володя.

Я заперла машину и зашагала к подъезду. Во дворе гуляла женщина с лохматой дворняжкой, выдав улыбку, я направилась к ней.

— Извините. Я ищу молодого человека по имени Володя, живет в вашем доме...

— Решетов? — спросила женщина и добавила: — Пятая квартира, на втором этаже.

Я вошла в подъезд и торопливо поднялась на второй этаж. Возле двери с цифрой «пять» замерла на полминуты, потом позвонила.

Тишина, открыть мне дверь не пожелали. Самое время вернуться домой и дождаться очередного звонка. Вопрос, захочет ли он позвонить?

Пока я размышляла над этим, снизу послышались голоса, две женщины с хозяйственными сумками неторопливо поднимались по лестнице. Завидев меня, замолчали. Одна из них направилась к седьмой квартире, а другая к пятой. Женщине было лет пятьдесят, и я подумала, что она вполне

— Теперь вряд ли, — подумав, ответила я.

— Но почему, черт возьми? — В голосе слышалось отчаяние, я знала, что мой ответ не внесет покоя в его душу.

— Если парня убили, значит, я на правильном пути.

Всю ночь я почти не спала, то и дело смотрела на часы и торопила рассвет. В шесть выпила кофе и спустилась к машине. Я решила ехать в Чебоксары. Объяснить, зачем, я и себе бы не смогла, а говорить об этом с Севкой или Сашкой вовсе не хотела, поэтому свою поездку я решила держать в тайне.

Улицы ранним утром были почти пусты, я выехала из города и включила приемник погромче. Мне предстояла дальняя дорога.

Найти нужную улицу в незнакомом городе оказалось нелегким делом, я потратила на это часа полтора.

Татьяна Петровна Егорова жила в частном доме. Покосившийся забор и калитка с почтовым ящиком, выкрашенным красной краской. Я поискала глазами звонок, не нашла и толкнула калитку. Навстречу мне с громким лаем выскочила пятнистая дворняжка. Почти сразу же дверь дома открылась, и на крыльце появилась женщина. Она стояла, держась за перила, и смотрела на меня вроде бы с любопытством.

По дороге сюда я заготовила целую речь, теперь она показалась мне невероятно глупой. Я растерянно улыбнулась и сказала:

— Какой у вас сторож... — И добавила: — Здравствуйте.

— Здравствуйте, — ответила женщина. — Вы ко мне?

— Я ищу Егорову Татьяну Петровну, — пояснила я.

— Значит, ко мне. — Женщина вроде бы осталась довольна и распахнула дверь. — Проходите.

Я прошла и оказалась в маленькой чистой кухоньке с кружевными занавесками на окнах.

— Садитесь. — Женщина пододвинула мне стул, села на старенький диван и посмотрела на меня с любопытством.

Надо было как-то объяснить мой визит. С минуту я томилась, потом начала неуверенно:

— Татьяна Петровна, я хотела бы поговорить о вашем сыне, Дмитрии.

— О Диме? — удивилась она, вздохнула, разгладила фартук на коленях и сказала, точно виновато: — Дима умер пять лет назад.

— Мне это известно, — кивнула я, врать было стыдно, но по-другому объяснить свой визит я не могла. — Татьяна Петровна, я работаю в газете, готовлю статью и... по ряду причин меня интересует эта история...

— Вы журналистка, да? — Женщина поднялась, поставила на плиту чайник и стала накрывать на стол. — Я ведь ничего не знаю, — сказала тихо. — О том, что случилось, мне сообщили лишь через две недели после смерти Димы. Он в больнице лежал, еще живой, а я... — Она закрыла лицо фартуком и заплакала. — У меня ведь нет никого теперь...

— Татьяна Петровна, вы простите, что я об этом спрашиваю...

— Нет-нет, ничего, — торопливо заверила она. — Вы на меня внимания не обращайте. Пять лет — большой срок. Я уж свыклась. Мы ведь с Димой нечасто виделись, писал он редко, приезжал только в отпуск на пару дней. Вы не подумайте, он был хорошим сыном, просто... жизнь так сложилась. Работа... а потом вдруг это...

Чайник вскипел, мы выпили по чашке чая с малиновым вареньем, Татьяна Петровна продолжила свой невеселый рассказ, я слушала и жалела, что приехала. Не стоило бередить чужие раны, хоть и поджившие.

— И похоронить-то по-людски не смогла, — сказала Татьяна Петровна. — Разве ж это дело, человека сжигать?

— Его кремировали не по вашей просьбе? — спросила я.

— Когда я приехала, все уже сделали. Дали мне банку... — Женщина опять заплакала. — Сказали, хранить долго его нельзя было, вот и...

— Кто сказал? — осторожно спросила я.

— Не знаю. В милиции, начальник, а уж кто — не скажу. Не до того было... Я ведь инвалид, в чужом городе ни одной души знакомой, а тут такое горе... сама себя не помнила...

Некоторое время мы сидели молча, мне стало ясно, женщина вряд ли знала, у кого работал ее сын и чем вообще занимался. Преодолеть значительное расстояние и ничего не узнать все-таки было обидно, я взглянула на часы, прикидывая, что, если отправлюсь сейчас, домой попаду не раньше одиннадцати вечера. Женщина расценила мой взгляд по-своему.

— Вы торопитесь? — спросила она почти испуганно, а я поняла: передо мной совершенно одинокий человек, ей хочется поговорить о сыне, и не важно, кто будет ее слушать, журналист или просто малознакомый человек. Кажется, она уже забыла о том, что я якобы из газеты, по крайней мере, вопросов на эту тему не задавала.

— А где он жил, у него была квартира?

— Была, однокомнатная. Продали ее, деньги я получила. Сосед говорил, обманули меня, за бесценок квартиру-то отдала, но я и этим деньгам рада, сама-то я в таких делах ничего не понимаю, где мне квартиры продавать. У меня еще пенсия, в общем, не бедствую.

— А где Дима работал?

— Говорил, в каком-то кооперативе, шофером. Прилично зарабатывал. Он ведь у меня хороший был, пил мало, а уж как с ним несчастье случилось, и вовсе бросил.

— Какое несчастье? — насторожилась я.

Татьяна Петровна тяжело вздохнула, опять поставила на плиту чайник, который к этому времени уже остыл, и сказала, точно извиняясь:

— Он ведь в аварию попал. Вроде бы не виноват, а все равно наказали. Два года дали. Только из армии пришел, устроился на работу, года не прошло — и вдруг такое. Уж как я переживала, были бы деньги, так, может, осудили бы условно, только откуда они у меня? Я Диму одна воспитывала, с мужем развелись, когда сыну три годика было, а муж-то мой уехал куда-то на Север, да и сгинул там, больше никогда не виделись, ну и помощи от него тоже никакой. Вот так вот...

— А когда Дима освободился, сюда не вернулся?

— Нет. В письме написал, что к другу поедет, что уж у него за друг был, не скажу, но уехал и вроде бы хорошо устроился. Ко мне приезжал нечасто, но и не забывал. Путь-то неблизкий, а у него работа... За месяц до смерти карточку мне прислал. — Она поднялась, прошла в комнату и вернулась с фотографией в черной рамке. Молодой мужчина с длинными светлыми волосами и открытым лицом весело улыбался мне.

— Симпатичный, — сказала я.

— Да... у нас соседка, его ровесница, еще со школы его любила, такая хорошая девушка. Я все надеялась, а вот как вышло...

— Сколько ему было лет?

— Двадцать семь. — Женщина вытерла глаза, а я смотрела на фотографию со странным чувством, лицо казалось мне смутно знакомым. Заметив, что фотография меня заинтересовала, Татьяна Петровна робко проронила: — У меня еще фотографии есть. Из армии две карточки и детские, много...

— Можно посмотреть? — попросила я.

— Конечно. Пойдемте в комнату, там удобнее будет.

Мы прошли в комнату с двумя окнами: железная кровать в углу, шифоньер, старый сервант, у окна стол с двумя стульями, кресло, на подоконниках горшки с геранью. Японский телевизор на тумбочке выглядел на общем фоне немного странно.

— Димин подарок, — пояснила женщина, кивнув на телевизор. — Я ведь редко выхожу, до магазина и обратно, одна радость — телевизор посмотреть.

Она извлекла из серванта толстый альбом, и мы устроились на диване.

— Это свадебная фотография, — сказала Татьяна Петровна, открыв альбом. — Вот такой я была...

— Красивая, — заметила я.

— Молодые все красивые, а годы да болезнь никого не красят... Это муж мой, Димин отец.

Мужчине на фотографии было лет тридцать, почти лысый, светлый венчик волос над ушами, тонкие губы, отрешенный взгляд. Впечатление неприятное, и вновь мне показалось, что лицо смутно знакомо. «Это уж вовсе глупость, — одернула я себя. — С отцом Димы, который тридцать лет назад уехал на Север, я встречаться точно не могла. И все же...»

— А это Дима, — перевернув страницу, пояснила женщина. — Ему здесь полгодика.

Фотографий было много: детский сад, школа, пионерский лагерь. Все как обычно, однако чем больше я вглядывалась в детское лицо, тем больше убеждалась в том, что где-то уже видела этого парня.

— А эту из армии прислал, — тот же озорной взгляд, лихо сдвинутая фуражка, я перевернула страницу и едва не вскрикнула от неожиданности. Точно такая же фотография хранилась у меня дома: пятеро ребят в обнимку, в центре Сашка, слева Дима, а справа высокий черноволосый парень, по-моему, его звали Сережа, он жил в Питере и дважды приезжал к нам, еще когда была жива мама.

— А где Дима служил? — спросила я.

— В Усть-Каменогорске. Далеко очень. Я к нему так ни разу и не съездила.

Сомнений больше не было: конечно, один из погибших охранников — Сашкин армейский друг. Странно, что я об этом раньше не вспомнила, Димка Егоров и Сережка Аксенов, Сашка часто их вспоминал...

Я сидела в замешательстве, силясь осмыслить новость. Ну и что? Какое отношение к убийству может иметь мой брат и как все это связано с арестом Ильи?.. Но как-то связано, я теперь не сомневалась в этом.

Альбом мы просмотрели до конца, выпили еще чаю, и я засобиралась домой.

— А чего вы про Диму расспрашивали? — все-таки спросила Татьяна Петровна.

— Пишу статью о нераскрытых убийствах, — ответила я, хотя лгать было совестно. Предполагаемая статья ее не заинтересовала.

— Да? А я думала, может, вы по поводу той фирмы, что квартиру Димину продала...

— У вас с ними какие-то проблемы были?

— Нет. Хоть сосед и говорил, что обманули, но, я думаю, они со мной по справедливости поступили. Деньги мне сюда перевели... Кто бы стал бегать да хлопотать, а то, что себе что-то оставили, так это понятно, как же иначе? С Диминой работы мне тоже деньги присылают. Страховку.

— Что? — не поняла я.

— Страховку, — охотно пояснила она. — Так в квитанциях написано.

Странная страховка меня заинтересовала.

— А вы их храните? Квитанции эти? — спросила я.

— Конечно. Хотите, покажу?

Татьяна Петровна выдвинула ящик тумбочки и принялась рыться в бумагах.

— Вот они, все здесь.

Я взяла из ее рук квитанции переводов. В месте для письменных сообщений стояло только одно слово «страховка». Переводы поступали из моего родного города, с разных почтовых отделений и крайне нерегулярно. Иногда раз в два месяца, иногда раз в полгода. Суммы тоже были разные.

— Что-нибудь не так? — испугалась женщина.

— Нет, все правильно, — успокоила я ее и вернула квитанции. Потом поднялась. — Спасибо вам большое, Татьяна Петровна, мне пора.

— Да за что? А может, еще посидите? Пообедаем вместе? У меня щи из свежей капусты.

— Спасибо огромное, но мне действительно пора. Движение на дорогах большое, а добираться мне далеко.

Она пошла меня проводить, собачонка выскочила из калитки с громким лаем, я села в машину, помахала рукой и развернулась. Женщина стояла возле палисадника и смотрела мне вслед.

Выехав из города, я прибавила скорость, то и дело поглядывая на часы. Если бы я не была такой забывчивой, четыреста километров преодолевать бы не пришлось. Только мне и в голову не могло прийти, что фотография погибшего охранника давно хранится в моем семейном альбоме. Я пытаюсь что-то выяснить, а запутываюсь еще больше.

Итак, Дмитрий Егоров, служивший шофером и охранником у Терина по кличке Большой — давний Сашкин друг. Вопрос: встречались ли они после армии? Сережа, как я помнила, к нам приезжал, а вот Димка нет. Меньше чем через год после службы он оказался в тюрьме, два года они с Сашкой видеться не могли... А потом? Татьяна Петровна говорит, что в наш город он приехал к другу. К кому, к Сашке? Почему бы и нет? По крайней мере, это логично. Каким образом он попал к Терину? Познакомился с ним, находясь в тюрьме? И почему стал работать у него, а не пошел к Сашке, раз он был тем самым другом, к которому Дима приехал? Могли они жить в одном городе и ни разу не встретиться?.. А моя машина? Сашка утверждал, что ту ночь провел в клубе. Мог он взять мою машину? Мог, конечно, только зачем она ему?.. Кто-то открыл дверь автоматчику или автоматчикам, нет, стрелявший, как считает Севка, судя по всему, был один, все погибли от пуль, выпущенных из одного автомата. Некто вошел неожиданно для собравшихся и стал стрелять. Он знал о встрече и смог войти... Господи, неужели Сашка? Не может быть... Зачем? Мой брат расстреливает из автомата шесть человек, в том числе армейского дружка, который предположительно сообщил ему о встрече бандитов и даже открыл дверь? И был тяжело ранен, после чего скончался в больнице. Случайно ранен?

Я остановилась на обочине, потерла виски, силясь успокоиться. Если я права, тогда ясно, почему Сашке так не понравился мой интерес к этому убийству. Не могу поверить... Сашка убил друга и пять лет, мучимый совестью, шлет переводы его матери, называя их дурацким словом «страховка». Хороша страховка. Почерк на квитанциях не Сашкин, хотя ему вовсе не обязательно ходить на почту самому. А если он кому-то поручил делать это, то как объяснил? Очень просто объяснил: погиб друг, и я помогаю его матери. Что в этом плохого?

А вдруг все не так и Сашка тут вообще ни при чем? Переводы посылает неведомый благодетель, а Сашка, если и знал, что старый дружок поселился в нашем городе, то мог по какой-то причине с ним вовсе не встречаться. Друзей армейских или школьных теряют очень часто, жизнь разводит в разные стороны, времени нет...

Тут я подумала о вчерашнем убийстве и, кажется, даже побледнела. Сашка узнал о моей встрече с Володей и испугался, что тот сообщит мне что-то важное? Например, что в ту ночь он видел моего брата? О господи! Сашка вошел в чужую квартиру и хладнокровно выстрелил человеку в затылок? Бред. Я никогда в это не поверю. И кто ему мог сообщить о предполагавшейся встрече? Единственный, кому я об этом сказала, — Севка. Мог Севка сообщить Сашке о том, что в пять мы встречаемся в «Руси»? Зачем это Севке? Хотел предупредить? Тогда выходит, об убийстве пятилетней давности он тоже знал. Он вел следствие... без особых результатов. А что, если результаты были, но Севка предпочел умолчать о них?

Чепуха. Севка, покрывающий убийц... Сашка,

расстреливающий людей из автомата? Полный бред. Все не так... Севка честный человек, он никогда бы не пошел на такое, а Сашка не смог бы выстрелить в друга. Нет и еще раз нет! А что, если задуманная операция пошла вкривь и вкось и Димку ранил кто-то из охранников? Должен быть протокол экспертизы, из какого оружия в него стреляли... Я могу спросить об этом у Севки, только захочет ли он ответить... Он мог не предупреждать Сашку специально, а просто проговориться. Позвонил Сашке, тот спросил, чем я занимаюсь, а Севка ответил: собирается встретиться с каким-то типом, Володей, который в ту ночь видел ее машину. Она, мол, стояла под его окнами. Зная имя и помня, где оставлял машину, отыскать человека несложно. Невероятно, я почти считаю, что Сашка убийца... Севке очень не нравится моя игра в сыщики, он объясняет это опасностью, а вдруг есть другая причина? Он не хочет, чтобы о его роли в этом деле стало известно... И какое отношение все это имеет к Илье? Даже если все так ужасно, как я думаю, это не объясняет, кому и зачем понадобилось подставлять Илью. Или ему тоже была отведена какая-то роль в их плане, но вмешался некто и сорвал игру?

Я поежилась, глядя в темноту за окном, и поняла, что сижу так уже довольно давно, дворники работают, монотонно поскрипывая, а я, вжавшись в сиденье, обливаюсь холодным потом.

Взглянула на часы: половина двенадцатого, завела машину и плавно тронулась с места. Завтра я встречусь с Севкой и узнаю: говорил он Сашке о предстоящей встрече? А я хочу это знать? Хочу?

Я должна знать, что произошло той ночью и почему Илья меня бросил...

До города оставалось еще сто двадцать километров. Я явно переоценила себя, преодолеть их было мне не под силу. Виски ломило, глаза слипались, несколько раз я почти засыпала.

Впереди показался поселок, я проехала по центральной улице и затормозила возле почты. Разложила сиденье, накрылась пиджаком и закрыла глаза.

— Спать и ни о чем не думать, — приказала себе вслух.

Проснулась я от громкого крика, кто-то совсем рядом звал собаку:

— Вулкан, ко мне, Вулкан!

Я выбралась из-под пиджака и посмотрела в окно, а потом на часы. Они показывали семь утра. Голова болела, спину ломило, а в целом я чувствовала себя — хуже не бывает.

Потерла лицо руками и завела машину. Женщина в цветастом платье на крыльце почты смотрела на меня с подозрением. Заметив колодец, я остановилась, достала ведро воды и долго с наслаждением умывалась. Через пятнадцать минут я готова была решать любые загадки, хотя, наверное, правильнее сказать: отгадывать. Загадок по-прежнему было чересчур много, но они почти не пугали.

Через два часа, въехав во двор, я увидела Сашкину машину. Любимый старший брат сидел в кухне, пил кофе и читал газету.

— Привет, — сказала я и улыбнулась. Несколько минут он внимательно меня разглядывал, потом все-таки улыбнулся в ответ и сказал:

— Здравствуй.

Я подошла, поцеловала его, обняв за плечи и послав к чертям все свои домыслы. У меня лучший в мире брат, и я его очень люблю.

— Ты не ночевала дома, — сказал он, перестав улыбаться.

— Не ночевала, — согласилась я.

— А где ты ночевала?

Я пожала плечами.

— У подруги.

— У какой, интересно?

— Ты меня допрашиваешь, — засмеялась я. — И вообще ты похож на ревнивого мужа.

— Я ревнивый брат. Где ты была?

Я подумала: стоит ли говорить правду? Сашка решит, что я свихнулась: прокатилась до Чебоксар и обратно, чтобы узнать, что Егоров Дмитрий Терентьевич его армейский друг.

— Я была на даче, — соврала я.

— Ты не ездила туда год, даже больше...

— Полтора. А вчера захотелось съездить.

— Почему мне не позвонила? Я поехал бы с тобой.

— Хотела побыть одна.

— Нервничаешь? — спросил Сашка.

— Конечно. — Я помолчала немного, разглядывая свои ногти, и поинтересовалась: — Позавчера тебе Севка звонил?

— Ты имеешь в виду убийство? Конечно, звонил.

— Парень назначил мне встречу, и его сразу решили убрать.

Сашка поморщился:

— Необязательно. Могла быть еще какая-нибудь причина, и даже не одна. Но тебе следует быть осторожней и прекратить все это. В общем, не заставляй меня беспокоиться. Мне сейчас и так нелегко.

— Почему? — насторожилась я.

Сашка усмехнулся, пожал плечами и даже хохотнул.

— Думаешь, жизнь моя легка и прекрасна? Илья возвращается, и я не знаю, как все сложится...

— Мирон пытался донести до меня мысль, что Илье ничего не светит. Это правда?

— Скорее всего. Тебе известна ситуация...

— Более-менее.

— Но у меня голова болит больше о другом...

— О чем? — спросила я.

Он подтянул меня за руку и усадил к себе на колени.

— О тебе и о том, как вы встретитесь и что решите.

— Думаешь, он не вернется ко мне? — помолчав, тихо спросила я.

— Я знаю, что Илья тебя любит. Ты должна быть мудрой и терпеливой и не болтаться по ночам бог знает где, прибавляя седины в голове брата.

— Значит, все-таки злишься? — вздохнула я.

— Злюсь. Иногда человек совершает какие-то поступки и потом всю оставшуюся жизнь раскаивается в этом.

— Я не собираюсь заводить роман, если ты это имеешь в виду.

— Слава богу, — хмыкнул он. — Ты красивая

и, к несчастью, свободная женщина, но я хочу, чтобы ты не принимала поспешных решений, даже если тебе покажется, что с Ильей все кончено.

Я испуганно замерла.

— Он что-нибудь написал?

— Нет, — поморщился Сашка.

— Почему ты заговорил об этом?

— Я нервничаю, вот почему. Ладно. Пей кофе и приготовь мне завтрак.

— У тебя есть жена.

— У меня нет жены.

Стоя к нему спиной, я рискнула спросить:

— Почему ты не бросишь ее?

— Не знаю, — равнодушно ответил он. — Может быть, привык. Может, мне нравится моя жизнь.

— По-моему, она редкий день бывает трезвой.

— По-моему, тоже. Ну и что? Я могу вести себя как свинья по отношению к ней и оправдываться тем, что она пьяница. Иногда это удобно.

— Никогда не думала, что ты циник, — удивилась я.

— Я усталый, нервный человек, у которого много забот. Самая большая: красавица сестра, которую мне очень хочется видеть счастливой.

Я приготовила салат и яичницу, собрала на стол. Завтракали мирно и с удовольствием. Я немного потомилась и сказала:

— Я тут от безделья перечитывала твои письма из армии, рассматривала фотографии. Ты встречаешься с армейскими друзьями хоть иногда или давно потеряли друг друга?

— Кого ты имеешь в виду? — спросил Сашка.

— Кажется, их было двое: Сережа и Дима. Так?

— Так. Серега три года назад уехал в Канаду, а Димка погиб.

— Ты мне не рассказывал об этом.

— Это случилось как раз в то время, когда арестовали Илью. Тебе было не до этого, да и мне, к сожалению, тоже. Я даже не пошел на его похороны.

— Так он жил здесь?

— Он бывал здесь и здесь погиб.

— А что случилось? — как можно спокойнее спросила я.

Сашка отложил вилку в сторону, посмотрел на меня в упор, под его взглядом я, кажется, стала меньше ростом.

— Черт! — воскликнул он. — Только не говори, что ты ездила к его матери.

— С чего ты взял? — попробовала я солгать, забыв, что напротив сидит мой любимый старший брат. Иногда я всерьез верю, что он способен читать мои мысли.

— Вчера ты отсутствовала весь день, дома не ночевала, а теперь выспрашиваешь о моем приятеле, который долгие годы тебя вовсе не интересовал.

Я кивнула и сказала:

— Ты прав.

Он покачал головой:

— Скажи на милость, зачем ты туда ездила?

— Надеялась узнать...

— Что? — Сашка нервно закурил, отошел к окну и замер спиной ко мне. — Послушай, убийство было делом рук очень решительных людей, если угодно, это был чрезвычайно смелый шаг.

Я не пошел на похороны и вообще молчал о знакомстве с Димкой, боясь, что кто-то может усмотреть в этом нечто подозрительное... как ты, например. В этом случае жизнь моя не стоила бы и копейки. Да и сейчас... Именно поэтому я не хотел, чтобы ты лезла во все это... Теперь понятно?

— Севка знал?

— Конечно. Мы как-то выпивали вместе, и не узнать раненого Димку он не мог.

— Но ночью там была моя машина.

Сашка нервно засмеялся и повернулся ко мне.

— Об этом тебе сказал какой-то псих.

— Возможно. Но только после этого психа убили.

— Ты даже не уверена, что это именно он звонил... Хорошо. Сформулируй свой вопрос, и я на него отвечу. Клянусь, ответ будет искренним.

Я попыталась сформулировать и не смогла. Подошла к Сашке, прижалась к его спине и заревела. Он повернулся, обнял меня и сказал:

— Перестань. Я знаю, отчего ты плачешь. Ты решила, что твой брат вошел в чужой дом и расстрелял шесть человек, один из которых был его старым другом. — Я вцепилась в Сашкину руку, он поцеловал меня в висок и тихо продолжил: — Твой брат не ангел. Про меня много чего могут сказать, хотя по большей части соврут. Но тебе я клянусь: я не имею к этому делу никакого отношения. Я их не убивал. Клянусь памятью мамы.

— Прости меня, Сашенька, — попросила я. — Пожалуйста, прости. Я... я не думала, то есть я подумала, просто так получилось...

— Вот этого я как раз очень боялся пять лет

назад, что кто-то подумает, и у него что-то там получится. К счастью, у меня имелось надежное алиби: в момент убийства я был в своем клубе, и человек тридцать могли это подтвердить. В ту ночь в клуб явились незваные гости, и мы малость пошумели. В умах и сердцах это запечатлелось... Теперь ты будешь спать спокойно?

— Надеюсь, что да, — улыбнулась я. — Ты правда меня простишь?

— А что делать? У меня только одна сестра, причем красавица. Стоит мне взглянуть на ее личико, и злость проходит... Ладно. Кажется, мы во всем разобрались, ты не забиваешь голову ерундой, а я занимаюсь по-настоящему важными делами. Свари еще кофе, и я уеду.

Разговор с Сашкой подействовал на меня благотворно, я порхала по кухне с необычайной легкостью и смотрела на него счастливыми глазами. Мы выпили кофе, и я пошла проводить его до машины. Спускаясь по лестнице, спросила:

— Не понимаю, за что убили этого парня, я имею в виду Володю. Что он мог сообщить мне?

— Ты опять за свое? — нахмурился брат. — Слушай, я больше не уговариваю. Я запрещаю тебе заниматься всем этим. Ты поняла?

Я кивнула, Сашка вроде бы остался доволен и через минуту уехал, а я вернулась домой. Вымыла посуду и стала бродить по квартире, косясь на телефон. Не выдержала и позвонила Севке.

— Что там с этим убийством? — спросила я, терзаясь угрызениями совести: Сашке это вряд ли понравится.

— Чего ты от меня хочешь? — удивился Севка. — Я уже несколько лет работаю в управлении и данным конкретным случаем не занимаюсь. Хотя, каюсь, так как парень этот вроде бы имел какое-то отношение к тебе, позвонил и поспрашивал ребят. Никаких зацепок. Свидетелей нет, пистолет с глушителем, выстрела никто не слышал, замок не вскрывали, хозяева имели скверную привычку не запирать дверь. Кто-то просто вошел и выстрелил парню в затылок.

— Ты не мог бы узнать, какое этот Володя имел отношение к Илье?

Севка помялся и сказал:

— Он был в его команде, просто одним из многих. В отличие от большинства других пять лет назад устроился на работу, в авторемонтную мастерскую. Нормальный парень. Близкие не могут взять в толк, за что его могли убить. В милиции считают: долги или что-то в этом роде. Шансы найти убийцу невелики. Еще что-нибудь? — спросил он не без ехидства.

— Нет, спасибо. Извини, но...

Севка не дал мне договорить:

— Лучше пригласи меня на ужин.

— Брат считает, что я должна вести себя безупречно.

— Не слушай его. Ты уже достаточно взрослая, чтобы послать своего брата подальше.

— А вдруг он прав? — засмеялась я.

Вечером мы все-таки встретились и поужинали в ресторане. Севка проводил меня до подъезда, поднял голову к моим окнам и спросил с легкой улыбкой:

— Пригласишь?

— Выпить чаю?

— Кофе...

— На ночь вредно... — Я поцеловала его и торопливо поднялась к себе.

Утро началось с телефонного звонка.

— Ася? — Женский голос показался мне незнакомым. — Это Надя...

Тут я сообразила, что звонит мне бывшая Севкина жена, мы не виделись больше двух лет, а когда она звонила в последний раз, я вообще не могла припомнить, поэтому очень удивилась.

— Что-нибудь случилось? — спросила я неуверенно.

— Нет, просто... Мне сказали, будто вас видели вместе с Севой. Это что, возобновление прежней дружбы или ты больше не ждешь своего Илью и устраиваешь жизнь?

— Мужа я жду, а вы с Севой, по-моему, расстались, и я не уверена, что хочу это обсуждать.

Она немного помолчала и робко попросила:

— Извини. Я как-то неправильно начала наш разговор. А поговорить очень хотелось. Не по телефону, конечно. Я в трех шагах от твоего дома. Можно зайти?

— Что ж, заходи, — согласилась я.

Когда-то мы были подругами, за пять лет добровольного одиночества я растеряла большинство друзей и сейчас вовсе не была уверена в том, что не сваляла дурака, поэтому Надю ждала с нетерпением, хотя и чувствовала, что разговор скорее всего выйдет неприятным.

В дверь позвонили, я пошла открывать, нацепив на лицо улыбку. Надя выглядела заметно старше и интереснее. Она сменила цвет волос и прическу, по случаю жары была одета в костюм из тонкого льна, стоивший больших денег. Севка в миллионерах не числился, а Надя работала в музыкальной школе, следовательно, что-то в ее жизни изменилось.

Мы прошли в комнату, устроились в креслах, ощущая обоюдную неловкость.

— Хорошо выглядишь, — сказала я, улыбаясь пошире.

— Ты тоже. Настоящая красавица. Все происшедшее на твоей внешности ничуть не отразилось.

— Хорошая новость, — ответила я. — Выпьешь кофе?

— Нет. — Надя огляделась, словно старалась обрести поддержку в окружающих вещах, и сказала: — Шла к тебе с заготовленной речью, а теперь все из головы вылетело. Глупо, да?

— Бог с ней, с речью, — вздохнула я. — Просто поболтаем. Как живешь?

— Нормально, — пожала она плечами. — Собираюсь замуж. За Тимура Мангушева.

Я удивленно подняла брови, Надя усмехнулась и кивнула:

— Ага.

— Я думала, он сидит, — подивилась я.

— Давно вышел, попал под амнистию. Странно, что ты не слышала об этом.

— Если честно, я последние годы мало чем интересовалась... Как вас свела судьба? — Роман

Нади, женщины интеллигентной и скромной, с одним из городских головорезов, меня удивил.

— Свела... — пожала она плечами. — Шла с рынка, переходила дорогу и рассыпала картошку, а он ехал на машине, как раз на меня и эту самую картошку. Остановился и даже помог собрать. А потом отвез домой. Через неделю опять встретились случайно. Возвращалась с работы, прыгала на остановке, замерзла, в общем, на человека не похожа, тут опять он... На следующий день встретил после работы.

— Севка знает, кто твой избранник?

— Конечно. Мне кажется, он узнал раньше, чем я всерьез решила, что... в общем, знает. Я не скрывала, а когда поняла, как все серьезно, подала на развод.

Я все-таки сварила кофе, глядя в стену и размышляя о превратностях судьбы.

— Немного странно, да? — спросила, вернувшись в комнату. — Я имею в виду твой выбор. Разумеется, не мне такое говорить.

Надя торопливо кивнула.

— Я думаю, все очень логично... да. Это только на первый взгляд кажется невероятным. С Севкой у нас уже давно отношения ни к черту. Если точнее, хорошими они просто никогда не были. Тимур честный человек, в том смысле, что он такой, какой есть, и не желает притворяться. Он не лицемерит. Понимаешь, о чем я?

— Кажется, да. — Я кивнула.

— Севка тоже понял, — усмехнулась Надя. — Когда я ему сказала: меня тошнит от лицемерия, а Тимур — честный человек, он только хмыкнул, потом головой покачал и заявил: «Я тебя понимаю».

Я нахмурилась, разговор вдруг приобрел странное направление.

— Я не знаю, что тебе рассказал Севка, но это я ушла от него. К Тимуру. Совершенно сознательно, как говорится, в здравом уме и твердой памяти. Ушла, потому что больше не могла вынести все это... — Она облизнула губы и посмотрела на меня внимательно. — Вчера Тимур сказал, что тебя видели с Севкой, и еще: ты задаешь всякие вопросы. Это правда?

— Вопросы? — вздохнула я. — Правда. Забавно, что Тимур уже знает об этом.

— У нас всегда все все знают. Ты долго сидела в четырех стенах и успела забыть об этом. Я всю ночь не могла уснуть и думала о тебе. А утром решила, что пойду и все тебе скажу...

— Что «все»? — насторожилась я.

— Ася, вы с Севкой близкие друзья, я знаю... Друзья детства и все такое... только... он плохой человек. И он совсем не тот, кем хочет казаться. Это, должно быть, звучит совсем глупо, и ты скорее всего решишь, что я, как последняя дура, злюсь на бывшего мужа за мелкие бабьи обиды и выдумываю черт-те что... — Она закусила губу и отвернулась к окну. Помолчав, тихо продолжала: — Я много думала о тебе, об Илье... о всех нас. Жаль, не получается выразить словами... в общем, я хотела тебя предупредить: не доверяй Севке.

— Что ты имеешь в виду? — опешила я.

Она в ответ пожала плечами.

— Только то, что сказала. Думай обо мне, что хочешь, но он — лицемер и очень плохой человек.

— Постой, — еще больше насторожилась я. — Ты что-то знаешь? Он имел какое-то отношение к тому, что случилось с Ильей?

Она молчала больше минуты и разглаживала ладонями подол на коленях, склонив голову.

— Ничего я не знаю, — вздохнула Надя. — Я чувствовала и тогда, и сейчас... происходит что-то очень страшное и неправильное, и мой муж в этом увяз по уши. Он менялся на глазах, то есть, может, этого не замечал никто, но я-то видела. И боялась. Очень. А вчера Тимур вдруг сказал: «Твой бывший упек Илью в тюрьму. Это все знают». Я разозлилась и ответила, что это чепуха, что они хорошо относились друг к другу, может, не были закадычными друзьями... а любовь к тебе — это юношеское, и уже когда мы с Севой встречались, о тебе он говорил только как о друге. А Тимур засмеялся и сказал: «Мент мудрый. Он знает — выигрывает тот, кто умеет ждать».

— Не думаю, что Тимур таит в душе особо теплые чувства к Севке, — покачала я головой.

— Конечно, — согласилась Надя. — Плохо то, что все эти годы я сама об этом думала, то есть не думала вот так, как это сформулировал Тимур, а чувство было... да, именно так. Я чувствовала, что Севка негодяй и что это он отправил твоего мужа в тюрьму. И не только отправил. Должно было случиться еще что-то, чтобы Илья бросил тебя. И теперь, когда он возвращается, Севка вновь крутится возле тебя. И я... боюсь, вот что.

Я пребывала в полном недоумении и, кажется,

таращилась на нее во все глаза. Несколько минут мы молчали. Необходимо было что-то сказать, и я сказала, собравшись с силами:

— Спасибо тебе, конечно...

— Я знала, что не сумею объяснить как следует, — горько усмехнулась Надя, поднялась, взяла сумку и пошла к двери. — Не думай обо мне плохо. Я действительно хотела тебе помочь. Честно.

Кивнув на прощание, она торопливо вышла, а я отправилась на лоджию.

Сосед со второго этажа поливал клумбу из шланга, детишки с веселым визгом носились по двору и брызгались, а я задумалась. Что, если Надя права и это Севка подставил Илью? Чушь, всерьез ты не веришь, что он хладнокровно убил человека, потом сунул пистолет в машину Ильи и вызвал милицию. Севка не может быть убийцей, так же как Илья. И кто же тогда застрелил Андрея?

Я машинально достала сигарету из пачки, закурила. А вдруг в словах Нади есть доля истины? Севка и Илья друзьями никогда не были, встречались мы редко, даже после того, как Севка женился и чувство неловкости у меня исчезло. А вот с Сашкой Сева дружил, у Сашки мы преимущественно и встречались. Оба, и мой муж, и Севка, вели себя сдержанно, но дружелюбно. И Севку никогда не смущал тот факт, что он общается с людьми, с которыми по этическим соображениям находиться в одной компании не должен. Впрочем, вопросы профессиональной этики пока оставим в покое: Севка нормальный парень, языком болтать не любит, а с кем ему встречаться, решает сам.

Но если Надя все-таки права... и если арест Ильи — его работа, а тот, зная это, решил, что во всем виновата я? Нет... чепуха. Делом моего мужа Севка не занимался, а вот адвокатам помогал. Он очень переживал и надеялся, что Илья как-то выкрутится. Или просто делал вид?

— Так ты начнешь подозревать даже себя, — проворчала я, отправляясь в ванную.

И тут в голову опять полезли подлые мысли: о встрече с Володей я рассказала только одному человеку — Севке. А через несколько часов парень погиб.

Я поежилась и замерла на полдороге с открытым ртом. Я рассказала, мы расстались, хотя Севка вроде бы собирался провести весь день со мной. Он собирался, а я нет, Севка не хотел быть навязчивым и уехал... а парень погиб.

Зазвонил телефон, я подошла, сняла трубку и услышала Надин голос.

— Ася, ты можешь думать, что я спятила, и все такое... но... у Севки какие-то дела с твоим братом. Важные. Они часто встречались, я знаю. Так часто, что я одно время думала, что у моего мужа есть женщина и... в общем, я его выследила. Не очень красиво, правда? Но все оказалось еще хуже... лучше бы он влюбился в другую и просто бросил меня.

— Что ты болтаешь? — спросила я в полной растерянности.

— Я знаю, ты очень любишь брата. Иногда трудно смотреть правде в глаза... Извини, пожалуйста, извини... И еще: несколько дней назад Тимур вдруг стал меня расспрашивать: о Севке, о его отношениях с Сашкой. Я сказала, что ничего об этом не знаю, и разозлилась оттого, что Тимур пытается использовать меня в своих целях, а потом испугалась. Они все чего-то ждут. Может, возвращения Ильи? Готовится что-то страшное... — Она вроде бы всхлипнула и неожиданно повесила трубку.

Я быстро набрала номер и только в последнюю секунду сообразила, что по этому номеру Надю скорее всего не застану, и стала поспешно одеваться. Пожалуй, я поторопилась прекратить свое расследование. Нравится Сашке или нет, а кое-что я должна узнать.

Через полчаса я подъезжала к зданию больницы «Скорой помощи», в просторечии именуемой «Красным Крестом». Здание было высотой в пять этажей и устрашающей длины, за железным забором виднелись еще два корпуса, к одному из них я и направилась.

Здесь работала моя подруга Нина, я успела ей позвонить, и в настоящий момент она ждала меня, сидя на скамейке, и курила.

— Привет, — улыбнулась я.

— Привет, — кивнула Нина, указывая на место рядом. — Давай поболтаем здесь. Утро выдалось хлопотным, так что, пока у больных тихий час, не грех подышать свежим воздухом.

Я устроилась рядом с ней. Нина посматривала на меня с любопытством.

— Что за таинственное дело? — не выдержав, спросила она.

Я немного помолчала, пытаясь сообразить, как подоходчивее, а главное, покороче втолковать, что я, собственно, от нее хочу. С краткими формулировками у меня всегда были проблемы.

— Ты беременна? — вдруг спросила Нина, я, кажется, слабо икнула и торопливо покачала головой:

— Нет.

— На большее моей фантазии не хватит, — хохотнула она. — Так что давай выкладывай.

Я потерла переносицу и начала виновато:

— Меня интересуют события пятилетней давности...

— В каком смысле «интересуют»? — удивилась Нина.

— Дай я объясню, иначе дежурство у тебя закончится, а мы так с места и не сдвинемся. Пять лет назад из автомата расстреляли шесть человек, четверо умерли сразу, один по дороге к вам, а Егоров Дмитрий Терентьевич умер здесь, на следующий день. У меня к тебе просьба, выясни, кто из врачей дежурил тогда? Наверное, это непросто, но для меня очень важно.

— Это просто, — хмыкнула Нина. — Только почему тебя это заинтересовало?

— Мне кажется, убийство как-то связано с Ильей, я имею в виду его арест.

— Как связано? — нахмурилась Нина. — Какое отношение Илья мог иметь к этой бандитской разборке?

— Не знаю, но пытаюсь узнать, — ответила я.

120

— Давай-ка прогуляемся, — предложила она. Мы пошли по аллее, тень кустов акации создавала иллюзию прохлады. — Копаться в прошлом небезопасно, — сунув руки в карман халата, тихо начала Нина. — Впрочем, я тебя прекрасно понимаю, если речь идет об Илье. Спрашивай. Тот человек умер в мое дежурство.

От неожиданности я открыла рот. Количество совпадений в эти дни прямо-таки изумляло.

— Его привезли в твою смену?

— Нет, — покачала она головой. — Я заступила в восемь утра, он уже находился в реанимации, но все последующие события произошли на моих глазах... хотя, что именно произошло, я не знаю по сию пору.

— Не очень понятно, — пожала я плечами.

— Мне тоже, — согласилась Нина. — Ты для меня очень близкий человек, и этой историей я бы непременно с тобой поделилась, очень она меня озадачила. Но в ту ночь арестовали Илью, тебе было не до моих проблем, а потом возвращаться к этому уже не хотелось. Это ты ничего не видела и не слышала вокруг, а в городе об убийстве бандитских авторитетов болтали много. Согласись, событие необычное.

— Ты назвала эту историю загадочной, почему? — насторожилась я.

— Теперь всего не вспомнишь, но в целом впечатление создавалось именно такое: загадочная история. Парень лежал в реанимационной палате. Его ранение, хоть и довольно серьезное, не внушало опасений за жизнь. В реанимационную палату его поместили только для того, чтобы изолировать от других больных. Возле двери сидел сотрудник милиции и следил за тем, чтобы никто не мог проникнуть в палату. Нам объяснили, что парень — важный свидетель и предприняты все меры для его безопасности. Детектив — да и только. И вдруг, ближе к обеду, выясняется, что кто-то, несмотря на охрану, проник к нему и отключил больного от аппаратов.

— Как проник, если милиционер сидел перед дверью?

— Этот вопрос не ко мне. Возможно, проникли в окно, или дежуривший у двери проявил халатность, отошел куда-то. И в этот момент... но не это самое загадочное, — нахмурилась Нина. — Дело в том, что парень не должен был умереть, то есть для того, чтобы он умер, требовалось кое-что посущественнее, чем отключение аппаратуры.

— Как это? — растерялась я, а Нина пожала плечами. — Выходит, он умер не поэтому, так? Кто констатировал смерть, ты?

— Нет. Главврач, насколько мне известно. Труп отправили в наш морг. Через несколько дней я увидела заключение о смерти Егорова... Полный бред. Из заключения следовало, что тот был явным кандидатом в покойники и жил некоторое время только благодаря усилиям врачей, а умер, потому что... в общем, я уже говорила... А это глупость, понимаешь? Парень имел шанс выкарабкаться даже и при минимальном уходе. Это медицинское заключение было чистой липой, но подписано человеком, которого я очень уважала. Немного помучившись, я отправилась к нему и задала свои вопросы. Он был крайне удивлен и даже поражен и сказал, что под актом вскрытия готов подписаться хоть несколько раз и мысли об ошибке не допускает. У меня не было повода усомниться в его словах. Тем более что к этому моменту труп уже был кремирован и... словом, ты понимаешь.

— Не очень, — вздохнула я. — Либо ты ошиблась, в чем я сомневаюсь, потому что считаю тебя хорошим врачом, либо ошибся патологоанатом...

— Что совершенно невероятно, — усмехнулась Нина.

— Да, мне трудно это понять, — согласилась я.

— Не только тебе. Эта история долгое время не давала покоя и мне.

— Но какое-то мнение у тебя есть? — осторожно спросила я.

— Сразу два. Одно подлое: человек, которого я глубоко уважаю, дал заведомо ложное заключение по неведомой мне причине. Второе фантастическое: речь идет о... разных трупах.

Я сбилась с шага, а потом и вовсе замерла.

— Я предупредила, — усмехнулась Нина. — Второе: фантастическое. Так что остро реагировать не надо.

— Какое тебе кажется более... — В этом месте я засмеялась, так и не подобрав нужного слова.

— Я решила побыстрее забыть об этой истории и не ломать голову понапрасну, — пожала плечами Нина. — Тем более что следователь очень доходчиво намекнул, что мое любопытство до добра не доведет.

— Я не следователь, и мне свое мнение ты можешь высказать, — разозлилась я.

— Хорошо. — Нина вздохнула, посмотрела на свои ноги и сформулировала: — Я думаю, его убили эти ребята из милиции. Не отключили аппараты, без которых он вполне мог обойтись, а именно убили. А потом провели беседу с главврачом и патологоанатомом.

— Ты сама в это веришь? — усомнилась я.

— Нет, — охотно кивнула Нина. — А ты веришь в то, что Илья виновен? А он пять лет... в общем, «есть много, друг Горацио, на свете, что и не снилось нашим мудрецам».

— Ты кому-нибудь рассказывала об этом? — спросила я.

— Нет, хотя очень хотела. Но ты была поглощена иными проблемами, а болтать с кем попало на эту тему я поостереглась. Потом, слава богу, это как-то забылось и ворошить старое просто не имело смысла. Приходили журналисты, задавали вопросы, один был особенно настырным, но... вряд ли что разнюхал. По крайней мере, я после беседы со следователем молчала как рыба.

— А нельзя ли встретиться с этим патологоанатомом? — спросила я.

— Нельзя, — ответила Нина. — Его нет в живых, но, если бы он и был жив, вряд ли разговор принес пользу, я ведь пыталась поговорить с ним пять лет назад.

— А что с ним случилось?

— Попал под машину. Через несколько месяцев после этого случая, в сентябре или октябре, точно не помню. Какой-то псих вылетел на тротуар, сбил его и еще двоих человек. Те остались живы, а вот он скончался на месте.

— Думаешь, это как-то связано с той историей?

— Ася, я не хочу думать об этом, — вздохнула Нина. — Понимаешь?

— Да. — Я закусила губу, глядя на окна огромного корпуса прямо перед собой. — Главврач вряд ли согласится со мной разговаривать, — заметила я со вздохом.

— Это точно. Но если и согласится, то отделается общими фразами. Он был мастером по этой части.

— Был? — насторожилась я.

— Жив-здоров, но у нас не работает, — пояснила Нина. — Заведует Центром реабилитации спортсменов, где-то возле стадиона «Динамо», говорят, шикарная лавочка: импортная аппаратура, большие деньги.

— Интересно, — заметила я. — Как зовут вашего бывшего главврача?

— Афонин Сергей Львович. Еще вопросы есть? — улыбнулась Нина.

— Много, — пожала я плечами. — Жаль, ты на них ответить не сможешь.

— Тогда попробуй задать их своему дружку, — хмыкнула она. — Как его? Всеволод... не помню отчества. Именно он тогда здесь командовал.

Кажется, я открыла рот до неприличия широко, так что Нина неожиданно засмеялась.

Подозревать Севку во всех смертных грехах, конечно, удобно, но довольно глупо. Он сам мне рассказал о том, что вел дело об убийстве на Катинской, и его присутствие в больнице выглядело совершенно естественно... Но все это меня тревожит. Странное убийство в больнице — раз, убийство Володи после того, как я сообщила Севке о предстоящей встрече с ним, — два, наконец, три — рассказ сына убитого Перфильева: тот дал показания менту, ведущему следствие о расстреле, и сразу же после этого погиб. Не слишком ли много совпадений? Севка, бывшая жена которого обвиняет его в лицемерии и подлости, организовывает расстрел трех блатных авторитетов, а потом заметает следы? Совершенно невероятно, а главное: какое все это имеет отношение к Илье? Об этом я размышляла в машине по дороге домой. Логичность построений может быть обманчивой, а у мужчины нет худшего врага, чем бывшая жена. Я усмехнулась своим мыслям и свернула к дому.

Побродив немного по квартире, я придвинула телефон и набрала номер Артемова.

— Владимир Петрович, — сказала я, поздоровавшись. — Сегодня я была в «Красном Кресте». У меня там подруга работает...

— Так-так, очень интересно, — заволновался он.

— В ваших бумагах я ничего не нашла о том, кто из милиционеров дежурил в больнице в день, когда умер Егоров...

— Каюсь, — хохотнул он. — Поделился не всем.

— Фамилии этих людей вы знаете? Где они сейчас...

— Узнать нетрудно, только вот не уверен, что кто-то из них захочет с вами разговаривать.

— Попытка не пытка, — усмехнулась я.

— Отлично. Я позвоню, как только будут новости.

— И вот еще что, — заторопилась я. — Меня интересует Центр реабилитации спортсменов, это где-то в районе стадиона «Динамо».

— Про этот Центр я вам сразу скажу — бандитская лавочка. Как изысканно выражается один мой приятель, туфта чистой воды, но деньги там завязаны большие. Несколько раз органы и наш брат журналист пытались разобраться, что там к чему, но каждый раз неудачно: формально все в порядке. А почему он вас заинтересовал?

— Бывший главврач отделения, в котором лежал Егоров, теперь заведует этой самой, по вашим словам, бандитской лавочкой.

— Интересно. — Владимир Петрович задумался, вздохнул и добавил: — Очень интересно.

— Куда уж интересней, — согласилась я, мы простились, а я опять задумалась.

Если Нина права и Севка вместе со своими товарищами устроил кровавую бойню, а потом ловко расправился со свидетелями, если допустить такое, как в эту схему вписывается тот факт, что бывший главврач нынче заведует «бандитской лавочкой»? Однако не это меня сейчас беспокоило, я думала о Севке. Самое подлое дело подозревать в чем-то близких людей...

— Или брось все это, или докопайся до правды, — зло сказала я себе, кажется, вслух. Потом стала просматривать бумаги, нашла адрес жены Перфильева, предполагаемого свидетеля расстрела на Катинской, и взглянула на часы. Самое подходящее время для визита.

Через полчаса я уже сворачивала во двор многоэтажки. Отыскать нужный дом оказалось делом нелегким, он значился под номером 126«в», и располагался во дворе трех других домов. Редкие прохожие ценной информацией поделиться не могли, и поэтому я изрядно намучилась, прежде чем его обнаружила. Лифт не работал, квартира располагалась на шестом этаже.

Дверь открыла пожилая женщина в красном халате с рваными локтями и заплатой на животе.

— Здравствуйте, — сказала я, стараясь на ходу решить, с чего начать разговор.

— Вы из ЖКО? — подозрительно спросила она. — Денег у меня нет, я вашему начальнику уже говорила, вот дадут пенсию, заплачу, сколько смогу. И нечего меня пугать. Нет совести — оставьте старуху без света...

— Я из газеты, — торопливо сказала я. Она вроде бы удивилась.

— Да? Из ЖКО в газету нажаловались? — спросила она вполне серьезно.

— Нет, — улыбнулась я пошире и поинтересовалась: — Можно войти?

— Входите. — Женщина посторонилась, пропуская меня в квартиру.

Выцветшие обои, беспорядок на кухне, грязная посуда в раковине, на столе остатки обеда. Все выглядело крайне неопрятно, как, впрочем, и сама хозяйка.

— Садитесь, — кивнула она, я устроилась на табурете, женщина села напротив, посмотрела на меня внимательно, а я испугалась, что сейчас она спросит у меня журналистское удостоверение, такового не имеется, и хозяйка скорее всего выгонит незваную гостью, а может и соседей поднять по тревоге или в милицию позвонить.

Однако о документах женщина даже не вспомнила.

— Вот так, милая, — вздохнула она тяжело. — Не живу, а существую. С пенсиями, сами знаете, что делалось, задолжала за квартиру за восемь месяцев, вот и шлют мне разные бумаги, грозятся все отключить. А Прасковья Ивановна из пятьдесят восьмой квартиры говорит, что могут и выселить. Неужто правда? Вы из газеты, должны знать, можно человека из своего-то дома на улицу выкинуть?

— Думаю, что до этого не дойдет, — ответила я.

— Не знаешь, что теперь и ждать, — вздохнула женщина. — Всю жизнь мы работали, выжали из нас все соки, а теперь не нужны никому. Всем в тягость. Хоть живой в гроб ложись.

— А дети вам не помогают? — осторожно спросила я.

— Что дети? Дочка в Архангельске живет, двое детишек... а сын... пьет, одним словом. Какая от него помощь? Квартиру мне вот эту дали, думала, хоть на старости лет поживу спокойно, не вышло. Выгонят на улицу...

— Не выгонят, — попробовала утешить я. — Потихоньку выплатите долг, с пенсиями сейчас вроде бы налаживается.

— Да... Хотите чаю? — предложила она. — У меня варенье есть. Лепешки с утра пекла.

От чая я отказалась.

— Сын ваш отдельно живет? — спросила я,

желая хоть как-то приблизить разговор к интересующей меня теме.

— Да. У нас квартира была, однокомнатная, на Катинской, сейчас 8 Марта называется. Я на расширение стояла, дали нам с мужем вот эту квартиру, а в той сын остался. Дочка к этому времени с семьей уехала в Архангельск, муж у нее из тех мест, а здесь учился.

— А ваш муж давно умер?

— Пять лет, еще до того, как сюда приехали. Как раз ордер на квартиру получила, а он через три дня и... убили, прямо возле подъезда.

— Как же это случилось? — осторожно спросила я.

— Кто знает, — махнула рукой женщина. — Ударили по голове — и насмерть. Денег при нем не было, и человек он тихий. Никогда ни с кем не задирался. Конечно, пил. Но ведь чтоб по голове вот так-то стукнули... хотя, сейчас такое время, почем зря убить могут.

— Но ведь следствие было?

— Было следствие, как же. Только что толку? Да у нас тремя днями раньше шестерых убили в соседнем доме, и то никого не нашли. А тут пьянице по голове стукнули, кому надо искать? Приходил следователь и к себе вызывал. — Женщина махнула рукой с крайним презрением. — В милиции тоже жуликов полно...

Последнее замечание меня насторожило.

— Вы думаете, они проявили халатность в расследовании или пытались что-то скрыть? — спросила я.

— Не знаю, грех на душу не возьму и ничего

утверждать не буду. Да и дело давнее... чего теперь... Муж-то мой про то убийство что-то знал...

— Про какое?

— Ну, вот про тех шестерых, которых расстреляли по соседству... Видел вроде что-то, но мне ничего не рассказывал и никому другому тоже, кроме того следователя. Я, конечно, выспрашивала, а он говорит, такое дело, мол, головы лишиться можно. Покойник хоть и был пьяница, но мужчина умный и жизнь-то повидал. Ну, и когда из милиции стали по квартирам ходить, свидетелей искать, он рассказал... меня из комнаты выгнал, вот так... не хотел, чтобы я слышала.

— А что дальше было?

— Поговорили, тот из милиции ничего не записывал, так мой покойный муж захотел, ну и ушел следователь. А вечером мужа убили, прямо возле подъезда.

— Значит, кто-то из преступников узнал о его показаниях? — предположила я.

— Не знаю, — нахмурилась женщина. — Может, и узнал. Но не от Ивана моего. Говорю, хоть и пьяница был, царство ему небесное, но человек осторожный, жизнь научила.

— А следователя этого вы помните? Фамилию, имя или как выглядел?

— Конечно, помню. Слава богу, на память пока не жалуюсь. Фамилия его Дерин. Всеволод Павлович. Молодой совсем, симпатичный, волосы светлые... и вежливый очень, все по имени-отчеству меня... разговаривал ласково... Иуда, прости господи, — совершенно неожиданно закончила она, а я, кажется, даже глаза вытаращила.

— Но вы ведь не допускаете мысли, что он как-то причастен к убийству вашего мужа? — растерялась я.

Женщина невесело усмехнулась:

— Я любую мысль допустить могу: детдомовская я, из семьи врагов народа. Небось слышали, что это такое?

— Слышала.

— Так-то вот. — Она поднялась и поставила на плиту чайник. — Следователь ласковый был, Дерин этот, ничего не скажу... Но велел мне нос не высовывать, не так сказал, конечно, но я слова-то давно выучилась понимать. Ясно стало, рот откроешь — и тебе по башке дадут. Вот так-то. Я пошла к знакомой своей, мы с одного детдома, на фабрике вместе работали и жили рядышком. Посидели, подумали и решили, что помалкивать надо. И ей, и мне.

— А ей о чем? — удивилась я.

— Так она тоже убийство видела, то есть не убийство, а человека... убийцу.

— Того, кто тех шестерых расстрелял? — спросила я.

— Нет. Художника в ее доме убили. Из пистолета. А она видела, как из его квартиры мужчина вышел.

— Она что-то услышала и захотела узнать, в чем дело? — почти не дыша, спросила я.

— Ничего она не хотела, — махнула рукой женщина. — Кошку выпускала, а тут как бабахнет, ну она к глазку-то и сунулась. А он как раз и вышел из квартиры, дверь-то прямо напротив. Когда к ней из милиции-то пришли, она испугалась, говорит, ничего не видела да не слышала. А потом из газеты узнала, поймали одного за это убийство. Только из квартиры не он выходил. Женя переживать начала, мол, невинного человека в тюрьму посадят, идти в милицию хотела... а тут с моим случилось, убили то есть... Я ей сказала: «Женя, безвинный или нет, только арестованный — бандит, вот пусть в тюрьме и сидит. А ты сунешься да, как мой, по голове получишь или похуже что. Правду на земле искать — только здоровье терять, кому и знать, как не нам с тобой. Молчать надо, пусть без нас разбираются...»

Я смотрела на эту женщину и боялась, что упаду в обморок. Если бы не она... если бы неведомая Женя тогда сообщила в милицию... Господи боже, Илья был бы сейчас со мной... «Старая ведьма, — мысленно шипела я. — Проклятая старая ведьма...» И вдруг поняла, что настоящей ненависти к ней не испытываю. Передо мной была несчастная женщина, вряд ли она могла припомнить хоть несколько светлых дней в своей жизни. Грех ненавидеть ее за то, что она так боялась, тем более после того, что случилось с ее мужем.

Однако эта кухня, грязная и нищая, и сама хозяйка стали для меня невыносимы. Мне захотелось побыстрее оказаться на свежем воздухе.

— Подруга ваша по прежнему адресу живет? — спросила я.

— Живет. Только болеет очень. Я ее недавно навещала, так она опять историю эту вспомнила. Говорит, на том свете с меня спросят за то, что позволила человеку ни за что в тюрьму сесть. Она верующая...

— А вы?

— А я ни в черта, ни в бога не верю — никому мы не нужны. Не живем, а так, горе мыкаем до самой гробовой доски.

Я поднялась и сказала:

— Спасибо вам за беседу...

— А вы-то зачем приходили? — всполошилась женщина.

— Хочу написать очерк о жизни пенсионеров, — без зазрения совести соврала я. — Из тех, что вынуждены довольствоваться только пенсией. Узнала в ЖКО несколько адресов, вот и собираю материал.

— Напишите, — кивнула женщина. — У меня пенсия двести шестьдесят рублей, вот пусть научат, как на нее прожить, если за квартиру плачу пятьдесят. Хоть толку от газет не очень много, может, у кого совесть пробудится...

Я согласно кивнула и пошла к двери.

— Вам с Прасковьей Ивановной лучше поговорить, — заторопилась хозяйка. — Из пятьдесят восьмой квартиры. Она вам много чего расскажет, женщина грамотная...

— Спасибо. Возможно, я к ней завтра зайду, а сегодня мне уже некогда. — Я торопливо простилась и стала спускаться вниз, ускоряя шаги, под конец уже бежала.

Села в машину, сдавила виски и попыталась успокоиться. Илья не убивал, и этому есть свидетель — билось в мозгу. Конечно, не убивал... разве я сомневалась в этом? Зачем ему было убивать? Ревность? О такой чепухе всерьез думать не хотелось. А что еще? Убийство без повода... Но ведь кто-то его совершил? Кто и за что убил Андрея? Что я вообще знаю о его жизни? Ничего. Если честно, его жизнь интересовала меня мало. Обыкновенный парень, много пил, считал себя непризнанным гением, болтался по друзьям и пивнушкам, время от времени окунался с головой в работу, и тогда на свет божий появлялись портреты наподобие моего. На жизнь зарабатывал теми же портретами, которые предпочитал делать с фотографий. Хлопот меньше, и заказчики довольны. Деньги у него почти всегда имелись, и в долг ему давали охотно, Андрей был честен и крайне щепетилен в денежных вопросах. Не знаю, насколько его вера в свою гениальность была искренна, но даже малейшей критики он совершенно не выносил. Один раз я присутствовала при очень неприятной сцене. В его студии собрались несколько человек, вроде бы ожидалась какая-то выставка, и Андрей показывал свои картины.

— Это портрет? — спросил один из гостей, ткнув пальцем в картину. — Это, Андрюша, фантик от конфет. Чем и советую заняться. Говорят, платят прилично.

Андрей матерно заорал и кинулся на обидчика с кулаками. С большим трудом удалось их растащить, гость, смеясь, покинул студию, пожелав напоследок:

— Андрюша, на конфетную фабрику...

О Моцарте и Сальери я, конечно, слышала, но Андрей явно не был Моцартом. В идею о том, что кто-то решил расправиться с ним из-за любви к искусству, как-то не верилось. Грабить в студии совершенно нечего, Андрей не бедствовал, но больших денег не имел, к тому же ничто в студии не указывало на ограбление.

Убийство на почве ревности? О его женщинах я ничего не знала. Я даже не могла припомнить какую-нибудь из них. Впрочем, была какая-то Таня... да, Таня, она преподавала в пединституте, на худграфе, высокая, худая женщина, производившая странное впечатление. Андрей всячески потешался над ней, и видеть это было неприятно. Что ж, она, не выдержав насмешек, его и убила? Чепуха, откуда у преподавательницы пединститута пистолет? Из слов Перфильевой следует, что ее подруга видела в дверной глазок мужчину. Хотя... вовсе не обязательно. Неведомая женщина могла сказать подруге: видела убийцу, а та восприняла по-своему. Убийца, значит, мужчина. Пожалуй, это стоит прояснить. Только захочет ли говорить со мной эта самая Женя? Проще обратиться к Севке, хотя если она со мной говорить не пожелает, то с кем-то из милиции и подавно... К тому же обращаться к Севке мне очень не хотелось. Его постоянное присутствие в момент странных или загадочных событий меня настораживало: в случайные совпадения я не верю, а здесь их было чересчур много.

— Не можешь ты думать о Севке такое, — одернула я себя, но не думать уже не могла.

Придется самой разбираться во всем этом... Господи, если бы пять лет назад эта Женя рассказала в милиции о том, что видела... Я провела рукой по лбу, словно пытаясь избавиться от наваждения. Лучше бы мне вовсе не знать этого. Нет! Я хочу знать... хочу знать, кто убил Андрея и кто подставил Илью. Это один и тот же человек: иначе, как объяснить факт, что пистолет оказался в машине моего мужа? В общем, я должна попытаться поговорить с этой женщиной.

Во двор дома, где раньше жил Андрей, въезжать оказалось жутковато. Я не была здесь пять лет, за это время мало что изменилось: та же большая клумба в центре двора с яркой настурцией и космеей, те же скамейки под двумя липами и пенсионеры на скамейках тоже, по-моему, прежние. Веселая ватага ребятишек носилась по двору под громкий визг.

— Да уймитесь вы! — прикрикнула на них грозного вида тетка, выгуливающая возле подъезда белого пуделя, и неодобрительно посмотрела на меня.

Я пристроила машину в сторонке и еще несколько минут сидела, собираясь с силами. Потом решительно зашагала к подъезду, где раньше жил Андрей.

Дверь его квартиры новые хозяева обили светлым дерматином, два замка, глазок... Я посмотрела на дверь напротив, вздохнула и решительно позвонила.

Открыли не сразу, я уже хотела уйти, и только мысль о том, что хозяйка должна быть дома, раз неважно себя чувствует, заставила меня позвонить еще раз. Наконец дверь открылась, и я увидела мальчишку лет шести. Не знаю почему, но ребенка я увидеть не ожидала и смутилась. Он посмотрел на меня без удивления и интереса, а я сообразила спросить:

— Тетя Женя дома?

— Бабушка? — сказал он. — Дома. Она в своей комнате, — и повел меня темным коридором.

Женщина сидела в постели, откинувшись на гору подушек, и вязала носок. Спицы мелькали в ловких руках, она взглянула на нас поверх очков и вроде бы не удивилась.

— Здравствуйте, — сказала я.

— Здравствуйте, — ответила женщина и отложила вязание. Я вошла в комнату, а мальчишка исчез.

— Простите, что беспокою вас, — с лихорадочно бьющимся сердцем начала я. — Я знаю, вы неважно себя чувствуете...

— Какое там неважно, — перебила меня женщина, махнула рукой и добавила весело: — Помру скоро. А извиняетесь вы зря. Проходите, поговорить я очень рада. Дочка весь день на работе, внук на улице, а я вот одна. Хорошо, когда соседки зайдут, только ведь летом все на даче. Один телевизор...

Я села на стул и оглядела комнату. Чистенько, уютно, повсюду салфетки, вязанные крючком. Моя бабушка тоже любила такие.

— Евгения... простите, не знаю вашего отчества.

— Ну его, зовите тетя Женя, мне привычнее...

— Тетя Женя, я вот по какому поводу поговорить пришла... Сегодня была у вашей подруги Раисы Ивановны и... в общем, она мне сказала... вы помните убийство вашего соседа, Андрея?

— Помню, — внимательно глядя на меня, ответила тетя Женя, вздохнула и добавила: — Конечно, помню. Что, проболталась Ивановна? А ведь как меня стращала... через нее я грех на душу взяла, теперь помирать страшно... И так грехов не счесть, а тут такое...

Я слегка растерялась, думала, придется долго уговаривать эту женщину, или она и вовсе не захочет общаться со мной, и вдруг она сама заговорила о том, что так меня волновало.

— Не могли бы вы рассказать поподробнее? — попросила я.

— Вы ведь не из милиции? — задала она встречный вопрос.

— Нет. — Лгать ей мне совершенно не хотелось.

— Выходит, я не ошиблась, вы его жена? Того, что за убийство посадили?

Признаться, я очень удивилась такой прозорливости, торопливо кивнула и замерла, а тетя Женя продолжила:

— То-то я смотрю, лицо ваше мне знакомо. Вы ведь к Андрею часто заходили, верно? Может, не обращали внимания на нас, стариков, а мы-то ведь все примечаем. Сидишь на скамейке, за внуком присматриваешь, ну и не только за внуком, само собой. У нас, старух, один общий грех: любопытство.

— Это не самый большой грех, — улыбнулась я.

— Может, и не самый, — согласилась тетя Женя. — Вы что же, сами все узнать решили? Небось не просто так у Раисы оказались?

— Не просто, — покаялась я.

— А муж? Все еще в тюрьме?

— Скоро выходит, через несколько дней.

— Зачем же тогда... или думаете виновного

сыскать, отомстить и все такое прочее? Вот тут в одном кино такое показывали.

— Не в этом дело, тетя Женя, — начала я, пытаясь отыскать нужные слова. — Муж со мной развелся, за все время, что в тюрьме находится, ни разу не написал. Значит, считает меня виноватой. Может, я и виновата, да вот беда, не знаю, в чем. Одно я знала и тогда, и сейчас: мой муж Андрея не убивал.

— Ясно, — кивнула тетя Женя, взялась за вязание, но тут же отложила носок в сторону. — Что не убивал, это точно. Потому что его фотографию мне показывали, но это вовсе не тот был, кого я видела той ночью. А милиционеры все такие суетливые были, слова сказать не давали, сами спрашивали, сами и отвечали. Да если б хоть один со мной по-людски поговорил, разве бы я скрыла? Характер не тот. А они... Конечно, грех людей винить, сама хороша. Испугалась я очень, вот беда. Внук еще совсем маленький, дочка сильно болела, мужиков в квартире нет, вот и подумала, придут ночью и убьют всех, и мальчонку не пожалеют. А тут еще мужа Раисы убили, ну я и вовсе перепугалась. Да и подруга твердила: «Молчи лучше», вот и молчала...

— Расскажите, пожалуйста, что тогда произошло? — попросила я.

— Кошку я выпускала, замучила, стерва. Сидела возле двери, «мяу» да «мяу», вот и поплелась среди ночи. Только дверь открыла, и вдруг выстрел. Сначала я не поняла, что это, а потом второй раз ухнуло, точно, говорю, выстрел. Два раза то есть. Я ни жива ни мертва дверь свою захлопну-

140

ла и точно к полу приросла, шагу ступить не могу, а сама в глазок... Андрюшина дверь распахнулась, и этот вышел...

— Вы его раньше видели, до той ночи?

— Нет. Вот тебя видела и мужа твоего тоже... Много тут у Андрея всякого народа перебывало, может, и этот был, но я его не помню. Высокий, волосы темные, красивый такой...

— А узнать вы его смогли бы?

— По фотографии, что ли? Может, и смогла бы... Не знаю. Испугалась я тогда, а ну, думаю, как меня заметит... ведь стреляли же... А он быстро к лестнице — и исчез. Утром по квартирам ходили, из милиции, и фотографию вашего мужа показывали... Я и сказала, мол, раньше видела, а в ту ночь не видела ничего. А вот услышала выстрелы да испугалась.

— Понятно, — кусая губы, заметила я. — А больше никто из соседей этого человека не видел?

— Может, видели, да помалкивали, как я. Кому же охота со всем этим связываться... Опять же страшно. А у вас что, есть на примете какой человек, ну, чтоб на него подумать? — хитро спросила тетя Женя, а я улыбнулась.

— Нет у меня такого человека, а жаль...

— Да уж... Хотя мужу вашему толку от этого немного, коли и так на днях освободится. Годов-то не вернуть, как ни крути.

— Что верно, то верно, — пришлось согласиться мне. — Тетя Женя, — решилась попросить я. — Можно я к вам еще приду... если вдруг появится у меня такой человек?

— Приходите, — кивнула она. — Надо будет, и в милиции расскажу, как все было. Пять лет назад рассказать бы надо, но... лучше поздно, чем никогда.

— Спасибо вам. — Я поднялась и пошла к двери.

— За что? — удивилась она и крикнула: — Ванюшка, проводи тетю!

Мальчишка выскочил из соседней комнаты и открыл мне входную дверь.

Если бы пять лет назад... Не думать об этом, а то начнешь выть в голос. Ничего не изменишь, сейчас важно найти того, кто все это устроил.

Покидая двор, я вновь вернулась мыслями к Андрею. А что, если мне только казалось, что он безобидный пьяница и хвастун? Что я вообще о нем знаю? Во время сеансов, пока он писал мой портрет, мы много говорили, но в основном о литературе, об искусстве. Андрей любил изображать из себя лектора, хмурил брови, напускал на лицо важность и вещал профессорским тоном. Наблюдать за ним было забавно. Иногда ему приходила охота пофилософствовать, и он высказывал различные идеи, которые часто противоречили одна другой, но его это не смущало. Если я указывала на такое несоответствие, Андрей начинал сердиться и заявлял, что существует свобода воли, он волен сегодня думать одно, а завтра другое и ничего плохого здесь не видит. В общем-то, я тоже не видела, потому что никогда серьезно не относилась ни к нему самому, ни к тому, что он говорил. Сам Андрей интересовал меня мало. Мне нравились некоторые из его друзей-художников, поговорить с ними было интересно, и я любила бывать в его студии. Возможно, будь я внимательнее к Андрею, трагедии бы не произошло... хотя, как знать. Кажется, я стала пессимисткой. Забавно...

Я не сразу сообразила, куда еду, и только когда свернула с улицы Горького на узкую улочку с односторонним движением и милым названием Ильинская Покатая, поняла, что направляюсь к Александру Гаврилову, человеку, который дружил с Андреем со школьных времен и должен был знать его очень хорошо.

Гаврилов в отличие от Андрея был настоящим художником, хотя Андрей утверждал, что тому просто везло. К тридцати пяти годам он стал довольно известен и отнюдь не бедствовал. Пару месяцев назад у него прошла персональная выставка в Доме искусств, я ее посетила, правда, самого Гаврилова тогда не встретила.

Хоть и не виделись мы давно, но на доброжелательный прием я все-таки рассчитывала, некогда у нас сложились очень хорошие отношения.

Гаврилов работал семь-восемь часов в день, обычно с утра и часов до трех, в это время скорее всего свободен, хотя мог отсутствовать дома, в этом случае мой приезд оказался бы напрасным.

Я поднялась на крыльцо с коваными перилами и симпатичным фонарем у входа и нажала кнопку звонка. Ждать пришлось недолго, дверь распахнулась, и я увидела юную красотку в коротком сарафане. Она улыбнулась и спросила:

— Вам назначили?

— Боюсь, что нет, — ответила я. — Я бы хотела поговорить с Александром Анатольевичем, если это возможно. Моя фамилия Верховцева...

— Заходите, я сейчас узнаю...

Я оказалась в просторном холле, а девушка стала торопливо подниматься по лестнице на второй этаж.

Я огляделась и даже присвистнула: дела Гаврилова явно шли в гору. Старый купеческий особняк ему достался по наследству, весь первый этаж занимала когда-то его бабушка. На втором этаже жили две одинокие старушки. Удобства в доме отсутствовали, и бабули очень тяготились этим. Вступив во владение первым этажом, Гаврилов продал свою квартиру, купил в новом районе две однокомнатные и переселил в них соседок-пенсионерок. Старушки остались довольны, а художник получил купеческий дом в свое полное распоряжение.

Второй этаж был чуть меньше первого, сломав наверху все перегородки, Гаврилов устроил там прекрасную студию. После чего деньги у него кончились, и первый этаж оставался таким же, каким был при его бабушке. Старые обои в цветочек, мебель пятидесятых годов...

Теперь холл поражал дорогой отделкой, огромным ковром и хрустальной люстрой. Да, многое изменилось за эти пять лет.

— Привет, — услышала я, а повернувшись, увидела, как Гаврилов спускается по лестнице.

— Здравствуй. — Я улыбнулась и пошла ему навстречу. — Ты работал?

— Нет. Валялся на диване и читал о жизни Леонардо. Очень поучительно, скажу я тебе. Но если бы даже и работал, по случаю твоего визита с радостью бы забросил все. Сто лет не виделись, да?

— Лет пять, — поправила я. — О делах не спрашиваю. Судя по всему, они в порядке.

— Не жалуюсь. Что называется, попал в струю. Хорошо это или плохо для художника — еще вопрос, но хорошо жить мне нравится. Хочешь, поднимемся в студию?

— С удовольствием, — согласилась я.

Студия осталась прежней, просторной, светлой, широкие окна без занавесок, картины...

— Выставку готовлю, — словно извиняясь, заметил Гаврилов.

— Я была в Доме искусств, услышала по радио и посетила...

— А мне говорили, что ты живешь затворницей, — усмехнулся он.

— Людям свойственно все преувеличивать.

Около часа мы беседовали только о его картинах, некоторые я видела впервые и очень заинтересовалась ими.

— А ты изменился, — констатировала я с некоторой растерянностью.

— Наверное, только дураки не меняются, мне скоро сорок, на многое начинаешь смотреть иначе, другими глазами, так сказать...

В этот момент я остановилась в удивлении, потому что обнаружила свой портрет. Без рамки, небольшой по размеру, он стоял возле стены, и в первое мгновение я даже не узнала себя, так странно выглядело лицо на полотне.

— Не помню, чтобы я тебе позировала, — улыбнулась я.

Гаврилов поставил портрет на стол, посмотрел на него и усмехнулся:

— Года три назад мне пришло в голову... Ты не желала ни с кем общаться, и я написал по памяти...

— По-моему, я здорово смахиваю на колдунью. И почему здесь у меня темные волосы? Это видение художника?

— Прихоть, — улыбнулся Гаврилов. — Я был влюблен в тебя, ты догадывалась?

— Нет.

— Ну и хорошо. Ты никого не замечала вокруг, у тебя был твой Илья, а остальные вроде бы вовсе не существовали. Сначала подобное кажется обидным, потом привыкаешь, а через некоторое время даже начинаешь считать вполне естественным. Когда мы перестали видеться, я вдруг понял, как мне недостает тебя. И вроде бы злился, а еще написал твой портрет. Теперь это выглядит мальчишеской выходкой. Но портрет мне нравится, хотя, конечно, это не портрет вовсе, а жалоба на жизнь бедного провинциального художника.

— Насчет бедности ты переборщил, — засмеялась я.

— Я имею в виду духовное оскудение. Сейчас все кому не лень считают своим долгом швырнуть в мой огород увесистый булыжник.

— Это потому, что ты деньги зарабатываешь, — утешила я.

— Конечно. Какой-то идиот выдумал, что талант и бедность друг без друга не существуют и быть богатым вроде бы стыдно. Чепуха. Талант либо есть, либо его нет, а все остальное — вторично.

— Меня радует, что ты богатый талант, — засмеялась я и устроилась в кресле возле огромного окна.

— Ты ведь не просто так пришла. Что случилось? — спросил Гаврилов, подходя ближе.

— Скоро возвращается Илья.

— Я помню. — Он кивнул и стал смотреть в окно. — Но есть что-то еще...

— Есть, — согласилась я. — Наверное, это звучит довольно глупо, но я решила выступить в роли частного сыщика.

— То есть? — удивился Гаврилов.

— Я пытаюсь выяснить, что в действительности произошло той ночью.

— И что, удалось посрамить милицию?

— Я нашла человека, который видел убийцу Андрея, — уверенно заявила я.

Гаврилов нахмурился, потом отошел к столу, налил в две рюмки коньяка и направился ко мне.

— Это ведь не шутка? — тихо спросил он.

— Нет.

— Господи. — Он покачал головой. — Разумеется, это не Илья... не хотел бы я пережить такое...

— Я и тогда знала, что это не Илья, но... в общем, ты прав. Я не могу не думать о том, что, если бы этот свидетель сказал тогда правду...

— Давай-ка выпьем, — усмехнулся Гаврилов, мы выпили и некоторое время сидели молча. — Этот человек, я имею в виду убийцу, кто-то из наших? — спросил Гаврилов минут через пять.

— Я не знаю, кто он. Свидетель утверждает, что в ту ночь видел его впервые.

— И что ты думаешь?

— Что я могу думать? Я хочу найти этого человека.

— А зачем? — несказанно удивил он меня своим вопросом.

— Немного странно, не так ли? — спросила я.

— Что странно: мой вопрос или то, что ты так стремишься узнать правду? Илья возвращается, может быть, не стоит ворошить прошлое? А ну как то, что ты узнаешь, окажется тяжелым ударом...

— Тебе что-нибудь известно? — насторожилась я.

— Конечно, нет, — вздохнул он. — Для всех нас происшедшее было совершенно неожиданным, каждый в отдельности и все вместе пытались докопаться до сути. И ничего...

— Убийца кто-то из наших, — повертев рюмку в руке, заметила я. — Я имею в виду, кто-то, кто хорошо знал всех участников событий. Андрея застрелили, а пистолет оказался в машине Ильи.

— Я что, в списке подозреваемых?

— Ты? — удивилась я. — Если честно, тебя в роли убийцы я не могла бы представить.

— А кого? Кого из общих знакомых ты могла бы увидеть в этой роли?

Я задумалась, а потом проронила:

— Но ведь кто-то его убил?

— Это единственный непреложный факт, — согласился Гаврилов. — У тебя есть описание предполагаемого убийцы?

— Самое общее: высокий, красивый, волосы темные.

— Слава богу, не похож на меня, — хмыкнул

он. — Но два десятка людей, которым такое описание подходит, я берусь перечислить прямо сейчас.

— И у всех был повод убить Андрея? — усмехнулась я.

— С поводом дело хуже, — кивнул Гаврилов. — Лично я его просто не вижу, ни тогда, ни сегодня.

— Ты говорил, наши общие знакомые пробовали докопаться до сути. И какой повод называли они?

— В основном тот, что прозвучал в суде. — Гаврилов отвел глаза и добавил: — Ревность.

— То есть был кто-то...

— Был, — перебил он. — Например, твой Илья...

— Илья никогда не ревновал меня! — Я вроде бы повысила голос, стало стыдно, я закусила губу и, помедлив, добавила: — Извини.

— Это ты извини, если я ненароком скажу неприятные вещи. Видишь ли, мы все тогда были влюблены в тебя... странно, что тебя это удивляет. — Гаврилов засмеялся. — Очень красивая девушка, доброжелательная, веселая, к тому же умница. Ты терпеливо слушала весь тот бред, что мы изрекали, и тебе вроде даже было интересно. Будь ты свободна, возникло бы неизбежное соперничество, но ты была совершенно поглощена своей любовью, поэтому все мы оказались в равном положении и в конце концов смирились. Однако с Андреем ты проводила больше времени, и, когда все случилось, мудрые головы вспомнили пословицу «Дуракам везет» и решили: а почему бы и нет? В конце концов, Андрей симпатичный парень, краснобай, а ты юное, неопытное создание и т. д. и т. п.

— Ты это серьезно? — удивилась я.

— Абсолютно. Каюсь, даже я склонялся к подобной мысли. У Ильи свои представления о гордости и все такое... Ты меня понимаешь. Его поведение на суде подтвердило наши догадки, а потом и твое затворничество. Искупление грехов. Когда один из соперников сходит в могилу, а другой отправляется по этапу, женщины ищут утешения в монастыре.

— Интересная мысль, — хмыкнула я.

— Скорее банальная. Но ведь это неправда, так? А выглядит правдоподобно. Это я к тому, что все наши предположения гроша ломаного не стоят. Выглядят логично, но за ними ничего.

— И все-таки Андрей погиб, но Илья не убивал его...

— Да... — Гаврилов смотрел на одну из своих картин и криво усмехался. — Ты пришла ко мне, чтобы узнать, у кого был повод это сделать?

— Скажем так, я надеялась, что мы вдвоем можем додуматься до чего-то интересного.

— Ясно. И тогда, и сейчас я не вижу никакого повода. Андрей не нуждался в деньгах, ни у кого не занимал, если деньги у него появлялись, жил на широкую ногу, если исчезали, садился на хлеб и воду и не переживал по этому поводу. У него было полно знакомых, и на тарелку супа он мог твердо рассчитывать. Я, наверное, не удивлю тебя, заявив, что Андрей был совершенно бездарен, завидовать ему просто никому бы не пришло в голову.

Он не был игроком, так что карточный долг или что-то в этом роде отпадает. В его квартире не было ничего ценного, версия об ограблении даже не возникла. Единственное, что могло прийти в голову: убийство на почве ревности. Если это не Илья, тогда я просто не знаю кто. То есть у меня нет подходящей кандидатуры. Хотя, конечно, можно предположить, что его убила Зайчиха. Но твой свидетель говорит о мужчине, а Зайчиха не похожа на симпатичного парня, хотя следует признать, что и на женщину она походит мало.

— Зайчиха? — не поняла я.

— Ну как же: Татьяна Зайцева. Ты должна ее помнить. Преподает на худграфе, «синий чулок» и баба-яга в одном лице. Жутко злобная стерва.

— Серьезно? Я как будто не замечала в ней особой злости.

— Тогда она была на пять лет моложе и еще надеялась выйти замуж. Теперь это злобная фурия и совершенно сумасшедшая старая дева. Впрочем, я, возможно, сгущаю краски, у нас с нею личные счеты. По поводу моей выставки она разразилась разгромной статьей в губернских «Ведомостях». Впрочем, ее пристрастия всем известны: она единственный человек, который искренне считал Андрея гением.

— Да, я помню. Автопортрет с филином неизменно вызывал у нее слезы. Я всегда терялась, когда она обрушивала на окружающих поток хвалебных од в адрес Андрея... У нее мог быть повод его убить?

— Ревность. Она была влюблена, а он не отличался постоянством, отношения у них сложились довольно странные, она считала себя его женой, а он вроде бы вовсе не замечал этого. Забавно, да?

— Мне это не кажется особенно забавным, — пожала я плечами. — У него были еще женщины?

— Конечно. Всех не упомнишь. Какие-то студентки, девочки из студии и просто малознакомые девушки, которых он называл натурщицами, в его квартире всегда толкался народ.

— Трудно поверить, что женщина решится на убийство, не имея конкретного объекта для ревности.

Саша неожиданно засмеялся.

— Что-то мне подсказывает, что ответ ты уже знаешь.

Это меня удивило, однако возражать я не стала, отделавшись слабой улыбкой.

— Ну, что ж. Был объект. Наташка. Помнишь ее, на конкурсе красоты она заняла второе место и все возмущалась, что не первое? Высокая, темноволосая, зимой и летом ходила в шортах, у нее были потрясающие ножки.

— Наташу я помню, — кивнула я. — Подруга говорила, что она вышла замуж и сейчас у нее свой магазин в центре.

— Все верно. Она деловая женщина и чудно выглядит в этой роли. И, по-моему, влюблена в своего мужа.

— У нее был роман с Андреем?

— Точно, — опять засмеялся Саша. — Сначала с Андреем, потом со мной. Потом она вроде бы опять решила вернуться к нему, но делать это я ей отсоветовал, и она осталась. Правда, через несколько месяцев мы все равно тихо-мирно расста-

152

лись. Если угодно, у меня тоже был повод отделаться от Андрея, то есть я ревновал и все такое, только мне бы и в голову не пришло стать убийцей из-за длинноногой дурочки вроде Наташки. Но, с точки зрения стороннего наблюдателя, повод, безусловно, был и у Зайчихи, и у меня. Только ни она, ни тем более я Андрея не убивали... Мы можем еще немного порыться в старом грязном белье, но вряд ли таким образом отыщем убийцу.

Гаврилов придвинулся ко мне, взял за руку и произнес неожиданно серьезно:

— Может, не стоит ворошить прошлое? Иногда совершенно неожиданно обнаруживаешь вещи поистине страшные. Илья возвращается, он из тех людей, кто способен сам во всем разобраться. Думаю, у него это получится лучше.

— Ты говоришь совсем как Сашка, — усмехнулась я.

— Сашка? — не понял он.

— Мой брат. Вы ведь не знакомы?

— Не знакомы, но я видел его пару раз с Ильей. Красивый парень, вы очень похожи.

— Наверное. Мне это часто говорят.

— У тебя есть повод сомневаться в мудрости брата?

Я засмеялась, Гаврилов тоже засмеялся и закончил свою мысль:

— Вот и послушай его.

Мы еще немного поболтали, тут в студии появилась красавица, которая открывала мне дверь, и недовольно поинтересовалась:

— Сколько мне еще ждать? — а я торопливо поднялась.

Гаврилов проводил меня до машины.

— Куда теперь? — спросил он шутливо.

— У меня много идей, — усмехнулась я.

Выехав на проспект, я принялась заниматься самобичеванием. Чем я, в сущности, занимаюсь? Пристаю к людям с дурацкими вопросами и таким образом надеюсь отыскать убийцу? Все только усложняется и еще больше запутывается. Хотя кое-что я узнала: у меня есть свидетель. Дурацкие методы или нет, а отступать я не намерена. С Татьяной Зайцевой следует встретиться, женщины приметливы, и об Андрее она знает больше, чем самый лучший друг. Где она живет, я не знала, а на работе в такое время застать ее вряд ли удастся, но я решила рискнуть и свернула на проспект Свободы, где высились корпуса пединститута.

Стоянка перед первым корпусом была пуста, я вышла из машины и с сомнением огляделась. Потом не спеша направилась к высоченной лестнице, отделанной серым мрамором, и вдруг услышала:

— Ася... — повернулась и с удивлением увидела Татьяну, она торопливо шла от троллейбусной остановки мне навстречу.

«Не иначе, как это судьба», — мысленно усмехнулась я.

— Вы меня узнали? — спросила Татьяна.

— Конечно, — ответила я. — Если честно, сюда я приехала именно из-за вас. Хотела поговорить...

— Об Андрее? — Она вроде бы насторожилась.

— Да, если вы не против.

— Конечно, я не против. Где будем разговаривать?

— Можно поехать ко мне, — предложила я. — Или посидеть в машине.

— Давайте лучше пройдемся. Я почти все время в помещении, совсем никуда не хожу. Постарела, да? А вы нисколько не изменились. Впрочем, вы еще очень молодая женщина, а мой возраст называют бальзаковским.

— Я всегда считала, что бальзаковский — где-то после сорока пяти, разве нет?

— Какая разница... Девушкой меня уже давно никто не зовет.

Мы медленно шли по улице, и я испытывала чувство неловкости. С Татьяной мы никогда не были близки, и сейчас начать разговор по душам — дело нелегкое. Ее неожиданное появление слегка обескураживало. Словно она стояла на троллейбусной остановке и поджидала меня. Что за чушь лезет мне в голову?

Я осторожно разглядывала идущую рядом женщину. Не окликни она меня, вряд ли бы я ее узнала. Толстая, неряшливая баба лет сорока в нелепом цветастом платье выше колена, которое больше бы подошло юной девушке. В ушах длинные кожаные серьги, такой же браслет, а к ним бусы из яшмы. Для тридцатиградусной жары трудно придумать наряд диковиннее.

— Вы действительно искали меня? — спросила она, неожиданно останавливаясь.

— Конечно. Дело вот в чем: я никогда не верила в то, что Андрея убил мой муж. А теперь события разворачиваются так, что подтверждают его непричастность к этому. Илья не убивал.

— Вы хотите узнать, кто же убийца? — усмехнулась она.

— Хочу. По-моему, в этом нет ничего странного.

— Конечно, нет. Я вас прекрасно понимаю. Тем более что ваш Илья действительно никого не убивал.

Теперь пришла моя очередь замереть посередине дороги.

— Да-да, я знаю, — кивнула Татьяна в ответ на мой взгляд. — Я ходила к следователю, но никто не хотел меня слушать. Даже на суд не вызвали свидетельницей. Для них все было ясно. Конечно, ведь я не могла объяснить, как он все это проделал...

— Кто? — спросила я.

— Господи, Гаврилов, конечно. Кто же еще?

— Вы имеете в виду Александра Гаврилова? — уточнила я.

— Разумеется. Блистательного, неподражаемого, гениального. У нас любят раздавать такие определения налево-направо. А что за ними?

«Зря я сюда приехала, — тоскливо подумала я. — Гаврилов прав, она сумасшедшая».

— Вы меня слушаете? — нахмурилась Татьяна.

— Разумеется, — ответила я, прикидывая, как половчее от нее отделаться, и напомнила: — Мне казалось, что Гаврилов с Андреем были хорошими друзьями.

В ответ она зло фыркнула.

— Вам казалось, Андрею казалось, всем казалось. Только я видела этого человека насквозь.

Его злобную зависть, это постоянное желание принизить чужой талант.

«Мама моя, она и вправду сумасшедшая», — решила я и вздохнула. Таких дамочек обычно не переслушаешь. Угораздило же нарваться.

— Андрею нужно было время, — продолжала она вещать. — Сейчас бы его талант раскрылся по-настоящему...

— Вы всерьез считаете, что это так? — попробовала я внести ясность. — Вы хорошо относились к Андрею, а когда человек тебе близок и дорог, трудно объективно оценить его способности.

— Я в него верила, — грустно сказала Татьяна. — Я верила. И если бы... если бы я была рядом, если бы только он этого захотел... Извините. — Она отвернулась, а я окончательно растерялась. Уйти было неловко, а то, что время я трачу впустую, стало совершенно ясно.

Все-таки я попробовала вернуть разговор к интересующей меня теме.

— Вы сказали, что еще тогда были уверены, что Илья не убивал. Почему?

— Потому что я видела настоящего убийцу, — удивилась она.

Кажется, я вытаращила глаза.

— Вы? Видели?

— Да. И пыталась рассказать об этом в милиции. Только меня никто не хотел слушать.

— Я вас слушаю с большим вниманием, — торопливо заверила я. — Кого же вы видели?

— Гаврилова, разумеется.

— Вы видели в ту ночь Гаврилова в доме Андрея? — уточнила я, силясь понять, что, черт возьми, происходит: то у меня не было ни малейшей зацепки, позволяющей выйти на убийцу, то претенденты стали возникать один за другим. — Вы не могли бы рассказать об этом поконкретней?

— Все очень просто. Я следила за ним. Я имею в виду Андрея. У него был роман с этой девицей, Наташей. Помните ее: королева красоты... Господи, даже самые умные мужчины в сущности дети. Обожают красивые игрушки. Крашеная стервозная девица с оловянными глазами. Андрей увлекся. Я знала, что это не продлится долго, такое и раньше случалось, он влюблялся, пылал страстью, а потом понимал, что это вовсе не так серьезно, как ему казалось вначале, и возвращался ко мне. Все великие художники грешили непостоянством. Я относилась к этому с пониманием. И все же... знаете, как бывает... Они расстались, она, конечно, сразу же нашла замену Андрею и не придумала ничего лучшего, как кинуться в объятия его друга. Вы, наверное, знаете, она ушла к Гаврилову. А потом... что-то у них произошло и... я снова застала ее в студии Андрея... В общем, это было ужасно, и я... я, кажется, ее ударила, а Андрей выгнал меня. На следующий день мы обсудили ситуацию, и он поклялся, что ноги этой девицы в его доме больше не будет. Я всегда ему доверяла, но... Я тогда поздно возвращалась домой, ехала в троллейбусе, смотрела в окно и вдруг увидела ее. Она шла по направлению к дому Андрея. Я выскочила из троллейбуса на первой же остановке и кинулась к нему. Свет в его окнах не горел, я устроилась во дворе напротив и стала ждать. Ничего не происходило. Я хотела подняться к Андрею, но он мог решить, что я ему не доверяю. Я еще некоторое время подождала и пошла домой. Свернула к остановке и вдруг услышала голоса. Очень громкие, я... спряталась, то есть я просто отошла поближе к кустам и увидела их: Гаврилова и девицу. Они ссорились, он тащил ее за руку и кричал, она тоже кричала.

— Но ведь возле дома Андрея вы их не видели? — спросила я.

— Ну и что. Они могли там оказаться раньше.

— Вы говорили, что свет в окнах не горел.

— Они могли нарочно не включать свет.

— Андрея застрелили... Очень трудно представить, что стреляли в темноте.

— Я понимаю, вам кажется, что я все выдумала, то же самое решили в милиции. Но я ничего не выдумываю, я действительно их видела. Вернулась к дому Андрея, посмотрела на его окна и отправилась к себе. А утром узнала, что его убили.

— В котором часу вы видели Гаврилова с Наташей? — все-таки спросила я.

— Сейчас я не могу сказать точно, но это было приблизительно в то время, когда убили Андрея. У Гаврилова был повод...

— Извините, но повод был и у вас...

Кажется, она не сразу поняла. Остановилась, посмотрела на меня в крайнем недоумении, а потом кивнула.

— Конечно, как это я сразу не догадалась. Это он вам сказал? Он? Что за человек... — Она горько вздохнула. — Ему мало было погубить Андрея, он еще пытается оклеветать меня.

— Послушайте, Таня. — Я осторожно взяла ее

за руку. Она отдернула руку и торопливо пошла прочь. Я шагнула следом, но передумала и направилась к своей машине.

А что, если Гаврилов действительно был там? Был или нет, но под описание, данное тетей Женей, он не подходит... Так ли уж хорошо она могла разглядеть человека в дверной глазок? Может, стоит навестить Гаврилова еще раз и подробнее поговорить о том, что произошло в ту ночь? Где он был тогда, с кем, чем занимался? Гаврилов — убийца, чушь, которая могла прийти в голову чокнутой старой деве вроде этой Татьяны.

Если некто позаботился о том, чтобы пистолет оказался в машине Ильи, а сам Илья в нужное время в нужном месте, выходит, убийство было заранее спланировано. Нет, что бы ни говорила Татьяна, а Гаврилов на хладнокровного убийцу не похож.

— И кто ж похож, по-твоему? — зло усмехнулась я, садясь в машину. — Неважные у нас дела! — возвестила я громко. — Любимый старший брат оторвет мне голову и будет прав. Хотя кое-чем я могу его порадовать... если этим можно порадовать... Голова болит, и я ужасно устала от бесконечных разговоров, чужих дверей и глупых домыслов.

Я направилась к дому, подумав с усмешкой: «Шерлок Холмс из меня никудышный...»

Телефонный звонок я услышала, как только вошла в квартиру.

— Ася? — Это был Артемов. — Звоню вам уже в третий раз.

— Быть сыщиком — занятие хлопотное, — усмехнулась я.

— У вас усталый голос, — посочувствовал он.

— Не только голос, к сожалению. Вы что-то узнали?

— Весьма любопытные вещи. Вместе с Дериным в момент смерти Егорова дежурили еще двое: Кузов Сергей Львович и Савенко Алексей Викторович. Оба в настоящий момент в милиции не работают. Через год после означенных событий Кузов занялся бизнесом, открыл бюро путешествий, называется «Сфинкс», вы о нем, должно быть, слышали, а через три месяца там же оказался Савенко в должности начальника охраны. Неплохо, да?

— Вы как-то связываете это с гибелью Егорова в больнице?

— Конечно. Формально «Сфинкс» вполне приличная фирма, кое-кто считает ее очень перспективной, и со стороны клиентов никаких жалоб, но я выяснил, что в правоохранительных органах она особых симпатий не вызывает.

— Кажется, я поняла, что вы имеете в виду...

— Еще задания будут? — усмехнулся он.

— Возможно, только я пока ни одного не придумала.

— Что ж, придумаете, свяжитесь со мной.

— Дела, — произнесла я вслух, повесив трубку. Уже три свидетеля смерти Егорова занимают теплые места в бандитских лавочках. Пожалуй, версию о том, что на Катинской с бандитами разделались милиционеры, придется отбросить. В правоохранительных органах остался один Севка, двое других и главврач, выждав время, пересели в более удобные кресла. Выходит, Севку я подозревала зря... С Егоровым разделались свои, он — случайно оставшийся в живых свидетель. Необъяснимая кончина в рсанимации, подозрительный диагноз, гибель патологоанатома, скоропалительное кремирование: все это очень походило на заметание следов.

— А мне что с этого? — возвысила я голос. — Какое отношение происшедшее в больнице имеет к Илье?

На первый взгляд никакого, но это только на первый, в глубине души я все-таки была уверена: эти два преступления связаны между собой.

— Сейчас самое время поговорить с Сашкой, — решила я и поежилась: встречаться с братом очень не хотелось. Мы вроде бы обо всем договорились, а я ослушалась мудрых советов и занимаюсь бог знает чем.

Завтра попытаюсь встретиться с бывшим главврачом хирургического отделения и заеду в магазин «Натали». Может, мне повезет больше, чем сегодня.

Насчет везения я дала маху. Открыв утром глаза, я увидела, что за окном идет дождь, в комнате сумрачно, серо, просыпаться совершенно не стоило.

Я прошлепала в кухню и с чашкой кофе устроилась возле окна. Мир выглядел скверно, а жизнь представлялась бессмысленной.

Зазвонил телефон, я покосилась на него с опаской: что-то подсказывало мне, что это любимый старший брат спешит пожелать мне доброго утра.

Телефон настырно верещал, я вздохнула и сняла трубку.

— Сашка у тебя? — задала свой обычный вопрос Лерка.

— Нет, — отрезала я.

— А где он?

— Откуда мне знать? В конце концов, он мне старший брат, а не грудное дитя.

— А ты чем занимаешься?

— Играю в сыщики.

— Да? — Она вроде бы не поверила. — Интересно?

— Не очень. Если честно, скука смертная.

— Я тоже хочу поиграть. Ты никуда не уйдешь? Я сейчас приеду.

— Не надо, — заторопилась я, но Лерка уже бросила трубку.

— Ну вот! — Я выругалась и со злостью посмотрела на телефон, точно он был виновником моих бед.

Пока я была в ванной, явилась Лерка. Одно хорошо: трезвая.

— Расскажи мне про игру в сыщики, — попросила она с порога.

— Совершенно нечего рассказывать, — отмахнулась я. — Таскаюсь по разным людям, обиваю пороги и задаю идиотские вопросы.

— И что тебе отвечают?

— Всякую чушь.

— И ничего интересного?

Я поразмышляла: стоит ли откровенничать с

Леркой? Поговорить о том, что удалось узнать, очень хотелось. Только вот вопрос — с кем? Сашка начнет злиться, с Севкой беседа вряд ли получится... в его откровенности я сильно сомневаюсь. В общем, я почесала ухо и сказала:

— Теперь я точно знаю, что Илья не убивал Андрея.

Лерка усмехнулась:

— А кто этого не знает?

— Ты не поняла. Есть свидетель, который видел убийцу. По крайней мере, все указывает на то, что это был убийца.

— И этот твой свидетель сможет узнать его через пять лет? — нахмурилась Лерка.

— Почему бы и нет?

— Как-то в это не верится. — Она пожала плечами. — Они что, были знакомы, он назвал имя и все такое?

— Нет. Он просто видел человека и смог его описать. Высокий, красивый, темные волосы...

— Да... искать по такому описанию — замучаешься. Высоких с темными волосами полгорода, а красивый... вкусы у всех разные. Кому красавец, а кому задаром не нужен. Твой свидетель женщина? — вдруг спросила Лерка.

— С чего ты взяла?

— Ну... судя по данному описанию, это баба. Ладно... не важно. Ты нашла доказательство того, что Илья не убивал. Я не знаю, как это можно использовать... Толку от этого немного, ты как считаешь?

— Я хочу знать, почему Илья меня бросил? — начала я злиться.

— Это мне известно, — скривилась Лерка. — Не то, почему бросил, а то, что ты хочешь знать. Может, подождешь малость и спросишь у него самого?

— А если он не захочет отвечать?

— А если не захочет, так тебе вряд ли что поможет. Если б ты была умной, научилась бы за пять лет обходиться без него. Вот я иногда мечтаю, чтоб Сашка меня бросил, по-настоящему. Вот был он — и нет его. Совсем. И найти нельзя. Может, я перестала бы валять дурака и начала жить по-человечески?

— А сейчас что тебе мешает? — удивилась я.

— Твой чертов братец. Извини. Сын за отца, а сестра за брата не в ответе. Ты собираешься уходить?

— Уезжать, дождь на улице.

— Продолжишь следствие?

— Продолжу, — хмуро ответила я.

— Возьми меня с собой. Все лучше, чем сидеть в пустой квартире и ждать, когда явится твой братец... если вообще явится. Домой он точно не спешит.

Я подумала и согласилась. Мотаться по городу Лерке быстро надоест, а пока она со мной, хоть не сможет напиться.

— Поехали. Ты на чем ко мне добиралась? — спросила я, когда мы бежали через двор к моей «девятке».

— На такси. Ты ж помнить должна: моя машина тю-тю, а свою Сашка не дает. Да я и ездить боюсь. Как тогда кувыркнулась, так больше не рискую за руль садиться. Говорят, дураков и пьяниц бог бережет, но сегодня я с утра трезвая.

Ночью кто-то свистнул у меня правое зеркало. Я покачала головой, а Лерка зло фыркнула:

— Оборзели... Никакого уважения.

— Ладно, садись.

Центр реабилитации находился возле стадиона «Динамо», до него было примерно минут двадцать езды, но маршрут пришлось немного изменить, потому что Лерка жалобно сказала:

— Слушай, я есть хочу.

— А чего у меня молчала? — возмутилась я.

— А чем бы ты меня накормила? Пельменями? Они мне и дома надоели.

— И куда теперь прикажешь? Для ресторанов рановато...

— Сворачивай к Речному вокзалу, там кафешка работает круглосуточно.

— О выпивке не мечтай, — предупредила я.

— С прошлым покончено, — скроив страдальческую физиономию, ответила Лерка.

Кафе называлось «Каменный цветок», рядом со входом располагалось чудовище в виде чаши, отлитое из гипса и раскрашенное от руки человеком без чувства юмора. Назначение данного шедевра рождало недоумение, особо сообразительные использовали чашу в качестве урны.

— Черт-те что! — проходя мимо, заметила Лерка с обидой за искусство.

— Не очень удачная идея, — согласилась я.

В кафе было от силы человек десять, зал производил впечатление размерами, а главное — чистотой.

— Хорошо здесь, — сказала я.

— Само собой, — ответила Лерка. — Забегаловки я не уважаю.

Завтрак мы поглощали в молчании. Моя спутница отказалась даже от пива и взяла две бутылки минеральной воды. Я усмехнулась и тоже решила перейти на минеральную воду.

Тут в кафе вошел парень и устроился за соседним столом.

— Рожа знакомая, — заявила Лерка.

— Что? — не поняла я.

— Где-то я этого парня видела.

— А-а.

Довольно долго он сидел с бутылкой пива, потом заказал вторую, мы расплатились и пошли к дверям. Пока устраивались в машине, парень появился на улице.

— Рожа все-таки знакомая, — вздохнула Лерка. — Слушай, а может, за нами следят?

— Кто, этот? — удивилась я. — Человек зашел пиво выпить...

Парень скрылся за углом кафе, а Лерка вроде бы вздохнула с облегчением:

— Ладно, поехали. Ты подумай: и на сытый желудок черные мысли одолевают.

Реабилитационный центр находился на первом этаже высотки, о нем сообщала скромная табличка сбоку от стеклянных дверей.

— Что тебе здесь понадобилось? — удивилась Лерка.

— Главврач.

— Знакомый? У тебя что, проблемы со здоровьем?

— Сиди в машине, — заявила я и направилась к дверям. Лерка поморщилась и закрыла глаза.

Попасть в кабинет к Сергею Львовичу оказалось делом непростым. Чувствовалось, что персонал испытывал к главврачу нечто сродни благоговению. Немного поприставав к людям в белых халатах, я отыскала нужную мне дверь, постучала и сразу же вошла. Кабинет был пуст, я развернулась на пятках и нос к носу столкнулась с мужчиной в белом халате и шапочке. Выглядел он прямо-таки чеховским персонажем: усы, бородка клинышком, высокий лоб, умные глаза. Не хватало только пенсне, вместо них имелись очки в золотой оправе.

— Вы ко мне? — спросил он.

— А вы Сергей Львович? — уточнила я.

— Я Сергей Львович. Проходите.

Я прошла и устроилась на стуле. Он сел за стол, сложил руки замком, уставился на меня, ободряюще улыбнулся и сказал:

— Слушаю вас...

— Моя фамилия Верховцева, — начала я, не придумав ничего лучшего. — Зовут Анастасия, можно Ася.

— Очень приятно, — перебил он, а я мысленно чертыхнулась. И так ничего путного в голову не приходит, так он еще с мысли сбивает.

— Мне тоже очень приятно, — ответила я. — А будет еще приятнее, если вы согласитесь мне помочь и ответите на пару вопросов.

— Ответить на пару вопросов? — Брови его поползли вверх. — Я правильно понял?

— Абсолютно.

— Кто вы? — удивился он.

— Я ведь назвала вам свою фамилию.

— Она мне что-то должна сказать?

— Думаю, да.

— Извините. Я ничего не понимаю.

— Может быть, перейдем к вопросам? — пленительно улыбаясь, предложила я.

— Что ж, попробуем. Хотя все это довольно странно. — Как видно, у главврача был такой порок — любопытство.

— Не так давно вы работали в «Красном Кресте», — начала я. — Пять лет назад, в июне, к вам в отделение поступил человек с огнестрельным ранением, Егоров Дмитрий Терентьевич. На следующий день он скончался. Вы не могли бы припомнить обстоятельства, при которых это произошло?

— А то, что я должен отвечать на подобный вопрос, объясняет ваша фамилия?

— Вы ведь не делаете секрета из обстоятельств смерти Егорова? — улыбнулась я.

— Я вообще не люблю секретов. Однако вы только что сами сказали, что случай этот произошел пять лет назад. К сожалению, у меня не очень хорошая память, фамилия Егоров мне ни о чем не говорит.

— Я могла бы вам немного помочь...

— Не трудитесь. — Улыбка его была поистине ослепительной. — Я все равно ничего не вспомню. — Он поднялся, желая показать, что разговор окончен, и проводил меня до двери.

— Извините, — сказала я, а он ответил:

— Приятно было познакомиться.

Если у меня были какие-то сомнения в его

причастности к смерти раненого охранника, то сейчас они исчезли. Я усмехнулась и зашагала по длинному коридору к выходу.

Лерка бегала кругами вокруг машины, дождь кончился, но было все еще пасмурно и сыро, она промочила ноги и вообще выглядела неважно.

— Чего тебе на месте не сидится? — удивилась я.

— Скучно, — поморщилась Лерка. — Хоть бы какую газетку...

— А кто говорил, что будет весело? — хмыкнула я, мы отъехали чуть в сторону и укрылись за мусорными контейнерами, отсюда хорошо просматривался вход в здание.

— Следить будем? — заинтересовалась Лерка.

— Наблюдать. А ты обеги эту лавочку и посмотри, нет ли где еще выхода. Туфли у тебя все равно мокрые...

Лерка торопливо покинула машину и устремилась вперед, весело шлепая по лужам.

Вернулась она минут через десять.

— Во двор выходит еще одна дверь, рядом стоянка с табличкой «Для служебного транспорта», там три машины. Одна выглядит очень прилично, только я в них ни черта не смыслю и марку назвать не могу. Но если она появится — узнаю.

Леркино сообщение очень меня заинтересовало. Перед центральным входом тоже имелась стоянка. Ею, надо полагать, пользовались посетители, а вот главврач наверняка ставит свою машину во дворе. Я проехала ближе к выходу со двора и стала искать место, где укрыться.

— Сворачивай налево, — воодушевилась Лерка, игра в сыщики начала ей нравиться. — За киоском нас не заметят, а мы его точно увидим. И эта стоянка оттуда хорошо видна.

Я свернула и притормозила за киоском.

— Отлично. — Лерка устроилась поудобнее и принялась пялиться на здание Центра.

— Никто не обещал, что он выйдет именно сейчас, — заметила я.

— Кто?

— Главврач.

— А зачем он тебе?

— Объяснять долго, а мне лень. Если не возражаешь, расскажу позднее.

— Ладно, не возражаю, — надулась Лерка, и мы стали ждать.

Время шло, но ничего не происходило. Мы купили газету, с намерением читать ее вслух, ознакомились с первой заметкой, и тут Лерка радостно взвизгнула:

— Та самая тачка.

Машина притормозила на повороте, и я увидела в окне Сергея Львовича Афонина. Хмурясь и заметно нервничая, он куда-то спешил.

— За ним поедем? — обрадовалась моя спутница.

— Само собой, — ответила я.

Путешествие было недолгим. Сергей Львович свернул к зданию цирка, проехал еще немного и затормозил возле парка. Вышел из машины и не спеша отправился по аллее, купив при входе мороженое. Мы проехали чуть дальше и тоже затормозили.

— Идти надо мне, — заявила Лерка, пылая энтузиазмом. — Тебя он знает и может что-то заподозрить.

— А что ты увидишь? — усомнилась я.

— То же самое, что и ты.

— Но я могу узнать человека, с которым он встретится, а ты нет.

— Тогда сделаем так: я иду за этим дядькой, а ты по соседней аллее. Так мы его не упустим, а ты сможешь увидеть, с кем он встретится.

— Отличная мысль, — кивнула я.

Мы тоже купили мороженое при входе и разделились. Прогулочным шагом Лерка отправилась по аллее, где скрылся Афонин, а я торопливо рванула по соседней, пытаясь что-то высмотреть сквозь заросли кустов. Аллеи обрывались у смотровой площадки с видом на реку. В центре ее был фонтан, который сейчас не работал по случаю скверной погоды. Появляться возле фонтана я не рискнула, укрылась в кустах, вертела головой во все стороны и пыталась углядеть Лерку. Она точно сквозь землю провалилась.

— Вот черт! — выругалась я. — Надо было самой идти.

В кустах я просидела минут пятнадцать, не меньше, потом выбралась на соседнюю аллею и осторожно двинулась по направлению к выходу. Ни Афонина, ни Лерки. Я обследовала оставшиеся две аллеи с тем же успехом.

— Куда они могли исчезнуть? — разозлилась я и, не придумав ничего лучшего, вернулась в машину.

Только я заняла свое место, как появился Афонин. Он вышел из парка и направился к своему «Форду». Главврач не оборачивался и выглядел заметно успокоенным.

Не успел он отъехать, как я заметила Лерку, она торопливо возвращалась по аллее и, судя по выражению лица, готовилась сообщить мне сведения чрезвычайной важности. Я подъехала ближе к выходу из парка, Лерка села в машину и усмехнулась.

— Ну? — поторопила я. — Он с кем-то встречался и ты этого человека знаешь?

— Конечно. Отгадай, кто это был?

— Не хочу ломать голову, давай выкладывай.

— Севка! — Надо полагать, мое лицо осталось бесстрастным, потому что Лерка спросила: — Это не явилось для тебя неожиданностью?

— Трудно сказать, — созналась я. — По крайней мере, вопить: «Как же так? Может, ты ошиблась?» — желания не испытываю.

— Почему бы Севке не встретиться с главврачом какого-то там Центра...

— Действительно, да еще через полчаса после моего посещения...

— Слушай, а может, этот дядька кинулся в милицию на тебя жаловаться? Ты ему не грубила, нет?

— Кинулся жаловаться в парк? По-моему, это чересчур затейливо.

— По-моему, тоже, — кивнула Лерка и с любопытством уставилась на меня. — Ты его подозреваешь? — спросила осторожно.

— Севку? Нет, конечно. В чем я могу его подозревать?

— В том, что он засадил твоего Илью. У него был повод: большая любовь. И были возможности... Конечно, один бы он такое дело не потянул, но... у Ильи много врагов.

— Здесь что-то другое, — задумчиво ответила я и поехала по направлению к цирку.

Возле него, на стоянке, мы заметили Севкину машину, самого его по соседству не наблюдалось.

— Хитрецы, — довольно засмеялась Лерка. — Как в кино. Штирлиц и пастор Шлаг.

— Мы тоже хороши, — хмыкнула я.

— А мне понравилось, — засмеялась Лерка громче. — Еще б чего-нибудь понять. Может, поделишься информацией?

— Обязательно, только не сейчас.

Мы поехали дальше. Я пыталась соединить воедино Севку, главврача и бандитскую лавочку, но только понапрасну напрягала извилины.

Выходит, Севка на содержании у бандитов? В конце концов, почему бы нет? Он дружил с моим братом, дружил с Ильей, я никогда не задумывалась, как далеко распространяется эта дружба, а надо было... Если допустить мысль о том, что на Катинской одни бандиты разделались с другими, а Севка их прикрывал, тогда последующие его поступки становятся более-менее понятными. Но при чем здесь Илья? Или я все-таки ошибаюсь и два преступления никак не связаны?

«Связаны, связаны», — зло подумала я и сама удивилась своей уверенности.

— Эй, ты меня слышишь? — позвала Лерка, и я вздрогнула. Честно говоря, я умудрилась забыть о ней. — Куда едем?

— В один магазинчик, тут недалеко.

174

— Хочешь купить что-то или для нужд следствия?

— Для нужд, — кивнула я и притормозила.

Магазин в честь хозяйки назывался «Натали». Небольшой, но в два этажа, расположенный в здании начала века, почти в самом центре города.

— Ты сюда? — вроде бы удивилась Лерка. — Я пойду с тобой, здесь косметика хорошая...

— Сиди в машине. За косметикой отправишься в другое время.

— Не понимаю, какие у тебя здесь могут быть дела. Ты мне просто голову морочишь, верно?

— Хотела быть сыщиком, терпи.

Молоденькая продавщица вышла мне навстречу.

— Чем могу помочь?

Я мельком огляделась: заведение явно не для бедных.

— Я приехала к Наташе, то есть я...

— Вы к Наталье Юрьевне? — улыбнулась девушка, и тут появилась сама Наталья Юрьевна.

Несмотря на прошедшие годы, она совершенно не изменилась. Должно быть, то же самое она решила, глядя на меня, потому что узнала мгновенно и нахмурилась.

— Здравствуйте, — пытаясь компенсировать улыбкой нахальное вторжение в ее жизнь, сказала я.

— Здравствуйте. — Она смотрела выжидающе, явно не испытывая ни малейшего удовольствия от нашей встречи.

— Я бы хотела с вами поговорить. Это займет совсем немного времени.

Секунду помедлив, Наталья кивнула:

— Идемте в мой кабинет.

Мы поднялись на второй этаж и вошли в белоснежную комнату с дорогой мебелью. Кабинет был крохотный, хозяйка в нем выглядела немного странно. Высокой крупной женщине, какой была Наталья, здесь, наверное, не совсем уютно.

Она молча кивнула мне на стул, а сама устроилась на подоконнике.

— Чем обязана? — спросила она хмуро. — Ты ведь пришла не за тем, чтобы получить скидку в моем магазине?

Да, любезности в ней заметно поубавилось.

— Шикарный магазин! — восхищенно произнесла я.

— Возможно, и что?

— Наверное, я выбрала не самое лучшее время для визита.

— Завтра будет то же самое, — заверила Наталья.

— Я запамятовала: пять лет назад мы расстались врагами? — удивленно спросила я.

В ответ она улыбнулась вполне по-человечески.

— Ладно, что тебе надо?

— Один человек рассказал мне, что в день убийства ты была у Андрея.

— Эта чокнутая старая дева?

— Вряд ли она дева, с Андреем у нее был самый настоящий роман.

— Разумеется, она ему прохода не давала. С блеском заменяла сторожевую собаку.

— И тебя это очень нервировало? — подсказала я.

— Вовсе нет. Андрей был мне, в сущности, безразличен. — Наталья подошла к столу, достала из ящика пачку сигарет и закурила, подтолкнула пачку мне.

— Спасибо. — Я наблюдала за ней, пытаясь отгадать, почему мой визит так ее встревожил.

— Я была глупой девчонкой, которая млела от внимания всякой швали, называющей себя гениями. Гении... — Она презрительно хмыкнула.

— Гаврилов кое-чего добился, — пожала я плечами.

— Возможно. Возможно даже, что он и вправду гений, я не разбираюсь в искусстве. Пять лет назад мне казалось, что я люблю его. У нас был бурный роман. Бурный и быстротечный. А потом все стало обыденно и скучно, а я жаждала больших страстей. Не знаю, что наговорила тебе эта чокнутая, но точно знаю одно: Гаврилов Андрея не убивал, если ты это имеешь в виду.

— Почему ты так уверена?

— Потому что ему, в сущности, было наплевать на меня. Да он бы по физиономии Андрею и то не съездил, это же неинтеллигентно. К тому же — из-за женщины... Вот если бы речь шла о высоком искусстве, тут он, возможно, и сыпанул бы дружку яда в стакан, но дружка он тоже не воспринимал всерьез... Он не замечал меня целыми днями и вспоминал обо мне только ночью, когда было неподходящее освещение и он не мог рисовать. Мне все это надоело, я сказала: «Хватит» — и ушла, хлопнув дверью. Проблема состояла в том, что идти мне было некуда. Ну, я и решила податься к Андрею, чтобы переждать у него какое-то время и насолить Гаврилову, конечно. Я шла пешком, потому что денег не было даже на троллейбус, шла и мечтала, как я устроюсь на работу, стану жить нормальной жизнью, может, познакомлюсь с хорошим парнем, которому буду интересна я сама, а не плавные изгибы моего тела, которые так и просятся на холст... В общем, пока я топала до его дома, поняла: вся эта богемная жизнь не по мне, и решила: переночую у него, не на вокзал же идти в самом деле, а завтра — прости, прощай. Возле его дома меня уже поджидал Гаврилов. Минут пятнадцать мы скандалили, а потом он поклялся мне в вечной любви. Я не хотела его слушать, но он выглядел страшно несчастным, и мне сделалось интересно. Мы устроились в беседке, во дворе, я выслушала целую речь и позволила себя уговорить. Вот и все.

— Все? Вы сидели в беседке и не слышали выстрелы?

Наталья засмеялась:

— Считаешь себя очень умной, да? Возможно, мы слышали выстрелы, но не в беседке, а когда направлялись к стоянке такси. Увы, нам и в голову не пришло, что это выстрелы, мы были слишком поглощены своими проблемами. А утром, когда узнали, что Андрей убит, отправились в милицию. Гаврилов сказал, все равно нас вызовут, уж лучше самим. А в милиции нам устроили настоящий допрос. Эта чокнутая стерва там уже побывала и разболтала о том, что видела нас возле дома Андрея.

— Вас подозревали?

— Вовсе нет. Им хотелось заполучить свидетелей того, что твой Илья был в ту ночь у Андрея.

— Но вы ничего подобного подтвердить не могли.

— Конечно. Я в самом деле никого не видела.

— А Гаврилов?

Наталья посмотрела на меня, потом усмехнулась и отвела взгляд.

— Слушай, я вышла замуж, я люблю своего мужа, и мне нравится моя жизнь. И я... не жалую гостей из прошлого, они напоминают о временах, которые мне неприятно вспоминать.

— Я тоже люблю своего мужа, — заверила я. — И мне не нравится быть чьим-то дурным воспоминанием.

— Как ты поможешь Илье, копаясь в этой помойке? Когда он уже отсидел столько лет?

— Это мое дело, верно? Значит, Гаврилов кого-то видел.

— Я так думаю, — ответила Наталья, немного помолчав.

— Он дал это понять?

— Нет. Просто испугался. То есть он был очень напуган, это чувствовалось, хотя он и молчал. Стал задумчив и вообще вел себя странно. Я хочу сказать, что-то его мучило. По-настоящему. Но со мной он об этом даже не заговаривал.

— Может быть, его просто беспокоило происходящее: смерть Андрея, интерес со стороны милиции...

Наталья покачала головой.

— Нет, он знал, что твой Илья не убийца. Когда при нем заговаривали об этом, он заявлял, что обвинять Илью в убийстве глупо, что все это подстроено, при этом страшно злился, если ему возражали. А когда узнал о приговоре, сказал: «Знаешь, кто я? Самый настоящий подлец». И напился. Я никогда не видела его в таком состоянии. Попробовала расспросить, пока он пьян в стельку, но Сашка только усмехался и грозил мне пальцем. Это все, — закончила она и добавила решительно: — А теперь мне надо работать. И вот еще что, если ты снова появишься в роли клиента, я буду рада, а если в роли детектива, выставлю тебя за дверь. Я доходчиво объяснила?

— Более или менее, — согласилась я, поднялась и, не простившись, направилась к двери.

Лерка дремала в машине, открыв все окна. Солнышко робко проглядывало из-за туч, было пасмурно и душно.

— Гроза будет, — приоткрыв один глаз, заметила Лерка. — Голова раскалывается... и дышать нечем. Странная погода: с утра вроде прохладно, сейчас как в парной, а солнца нет.

— Странная, — кивнула я, не очень ее слушая.

— Куда теперь?

— Домой.

— А как же следствие?

— Зашло в тупик. Требуется свежая идея, пока она не появится, будем отдыхать.

— Я не хочу домой, — скривилась Лерка. — Что мне там делать одной? Коньяком наливаться?

— Хорошо, поедем ко мне. Вечером можем сходить в кино.

— Ты что, спятила? Кто сейчас в кино ходит?

— Создадим прецедент...

Лерка махнула рукой и стала смотреть в окно.

«Шестерку» песочного цвета я заметила, выезжая на Большую Дворянскую. Она двигалась метрах в тридцати от меня, вроде бы ненавязчиво, но упорно. Мне стало любопытно, и я свернула в первую подворотню.

— Ты чего? — удивилась Лерка.

— У меня сложилось впечатление, что за нами следят, — пленительно улыбнулась я.

Лерка забралась с ногами на сиденье и уставилась в заднее стекло.

— Где? — спросила она растерянно.

— Что? — хмыкнула я.

— «Хвост», естественно.

— Спрятался. Точнее, это я спряталась, чтобы проверить, имеется ли он в наличии.

— Нет никого, — вздохнула Лерка и вроде бы обиделась.

Выждав десять минут, я не спеша покинула чей-то гостеприимный двор и покатила дальше по Дворянской. «Шестерки» нигде не было. Только я собралась вздохнуть с облегчением, как снова приметила ее: она вывернула из переулка и вновь пристроилась за нами.

— Ага, — сказала я, а Лерка принялась вертеться, точно у нее в сиденье гвоздь торчал, таращилась во все окна и приставала ко мне:

— Есть, да? Где?

— «Шестерку» видишь? Песочного цвета?

— Нет... то есть вижу. А с чего ты взяла, что они за нами следят?

— С того, что эти ребята такие же сыщики, как мы с тобой.

— А мне кажется, им до нас нет никакого дела.

— Если кажется, перекрестись и сядь как следует, потому что впереди гаишник стоит.

Миновав инспектора ГАИ, мы на светофоре свернули к универмагу и остановились возле кафе.

— Куда? — насторожилась Лерка.

— Мороженое есть.

Я заперла машину и, подхватив Лерку под руку, направилась к разноцветным столикам.

Мы устроились за крайним слева, откуда была прекрасно видна вся улица и проезжая часть.

— А ведь точно, следят, — хихикнула Лерка, неизвестно чему радуясь.

— Точно-точно, — закивала я.

Мальчики (было их двое) пристроили машину возле цветочного магазина, один остался сидеть в кабине, а другой бодро направился к кафе. Взял банку пива и сел возле входа, принципиально не обращая на нас внимания.

— Что будем делать? — наклонясь ко мне, зашептала Лерка. Глаза ее горели, чувствовалось, что в данный момент любой подвиг ей по плечу.

— Дождемся темноты и будем брать, — в ответ шепнула я.

— Что?

— А?

— Что брать будем?

— Не что, а кого. Этих типов, разумеется. Устроим им допрос с пристрастием...

Она фыркнула, а потом, прикрыв рот рукой, начала хохотать. Я не выдержала и тоже рассмеялась, хотя весельем тут и не пахло.

Итак, кого-то явно растревожили мои попытки разобраться в той давней истории. А что, если это удружил мой любимый старший брат? Проявляя заботу о моей безопасности, послал за мной придурков на «Жигулях»? А если они из милиции, то не зря Афонин встречался с Севкой? Хотя вряд ли профессионалы способны вести себя так бездарно. Как-то не верится. С Сашкой придется поговорить и с Севкой тоже. А если... Ладно, с выводами спешить не будем. Пристроились они к нам после того, как я покинула «Натали», при мне Наташа никому не звонила, а появиться так быстро, если звонок имел место после моего ухода, парни, пожалуй, не могли. Значит, Афонин? Он поехал на встречу с Севкой, и, если их встреча состоялась, по логике вещей выходит, что в парке они нас не заметили. Хотя... Севка вполне мог засечь мою машину, позвонить своим ребятам и... Мог, только зачем? Какой смысл Севке следить за мной? А какой вообще смысл в событиях последних шести дней? Я не могу ответить на этот вопрос, зато знаю причину всего, что происходит, точнее, стало происходить. Причина проста: через несколько дней возвращается Илья. Так что я на правильном пути. Чем больше суеты и движения вокруг, тем больше шансов докопаться до истины.

Поздравив себя с этим, я попыталась решить, что делать с ребятами на «шестерке». Мне бы очень хотелось отправиться к Гаврилову и еще раз поговорить с ним. Что-то он, безусловно, знает. Прозрачные намеки в его разговоре со мной, домыслы Татьяны и откровения Натальи почти убедили меня в этом.

Но с «хвостом» ехать к Гаврилову, пожалуй,

было бы неразумно. Я расплатилась за мороженое и поднялась.

— Куда? — всполошилась Лерка.

— К Сашке, — взглянув на часы, ответила я.

— В клуб или домой? Дома его застать — как весну в июле. Я много раз пробовала, выходит хреново.

— Свои проблемы решайте без меня, чужая головная боль мне без надобности. И прекрати наконец жаловаться. Или принимай все, как есть, или пошли его к чертовой матери.

— Тебе легко говорить, — обиделась Лерка и побрела за мной. Парень за столиком лениво огляделся и зашагал следом.

На первом же светофоре я с некоторым удивлением обнаружила, что «шестерки» позади нас нет. Притормозила, хмуро оглядываясь. Вокруг мелькало множество машин, а вот песочные «Жигули» куда-то запропали.

— Потерялись они, что ли? — озадачилась Лерка. — Движение-то большое.

В это как-то не верилось. Либо парни прекратили слежку, либо оказались умнее, поняли, что их засекли, и удалились, а их место занял кто-то более ловкий.

— Этого мне только не хватало, — проворчала я и свернула на Златовратского. Здесь, в лабиринте узеньких улочек, в это время практически пустынных, предполагаемых преследователей я точно не провороню. — Смотри в оба, — сказала я Лерке и принялась колесить. Времени потратила довольно много, а результатом похвастать не могла. Ничего похожего на слежку.

— Может, они вовсе не за нами? — выдала предположение Лерка. — Может, у нас крыша поехала?

— Может, — согласилась я, не очень в это веря.

— Теперь поедем в клуб?

Конечно, разумнее было бы так и сделать, но мне не терпелось еще раз поговорить с Гавриловым, и я направилась к нему.

— Клуб в другой стороне, — сообщила моя спутница.

— Да неужто? — ахнула я. — Ладно, не злись, — сказала я примирительно. — Хочу заехать к старому знакомому.

— За сведениями чрезвычайной важности?

— Если повезет.

Гаврилова дома не оказалось. Ни его самого, ни длинноногой красотки. Пару минут постояв на крыльце, я смогла насладиться громким лаем, доносившимся из-за двери. Наличие в доме пса явилось для меня неожиданностью, в прошлый раз на его присутствие ничто не указывало. Сказав собачке:

— Да ладно тебе тявкать! — я вернулась в машину, испытывая чувство, близкое к глубокому разочарованию.

— Не пустили? — вроде бы порадовалась Лерка.

— Нет, сама не пошла, там собака злая.

В ответ Лерка фыркнула, потом задумалась, молча глядя в окно, пока мы не выехали на проспект Мира. Я тоже молчала, Леркино настроение, как правило, было переменчиво, а сейчас мне хотелось подумать. Тут она вдруг повернулась ко мне и, улыбаясь, сказала:

— Аська, а ты становишься прежней.

— В каком смысле? — удивилась я.

— С тобой опять весело.

Я не знала, что ответить на это, и только пожала плечами.

Клуб официально открывался в семь, и сейчас массивная дверь была заперта. Я позвонила, машинально прислушиваясь к чьим-то шагам, Лерка весело пританцовывала рядом. Дверь открыл Кирилл.

— Черт, опять в его смену! — возмутилась Лерка, шмыгнув в дверь, а я поздоровалась и спросила:

— Саша здесь?

— Здесь. И, по-моему, хочет тебя видеть.

Это слегка удивило меня. Я совсем было собралась задать вопрос, но взгляд Кирилла отбил у меня всякую охоту к этому, и я бодро зашагала к Сашкиному кабинету, готовясь к хорошему нагоняю.

— Я с тобой не пойду, — сообщила Лерка. — Вы сейчас начнете ругаться, и мне под горячую руку достанется.

— А как же женская солидарность? — возмутилась я.

— Чего-то мне о ней сейчас вспоминать не хочется. Слушай, я пить завязала, и мои нервы надо беречь.

Возразить на это было нечего, и в кабинет я вошла в гордом одиночестве. Сашка сидел в кресле, закинув ноги на стол, и грыз спичку — дурная привычка, от которой он упорно не желал избавиться.

— Привет, — сказала я, улыбаясь с максимальной ласковостью.

— Ты была дома?

— Нет, а что?

— Я оставлял записку...

— Надеюсь, ты сообщал в ней, что любишь меня и скучаешь.

Сашка нахмурился, убрал ноги со стола и сказал:

— Сядь-ка.

Я устроилась в кресле, готовясь с блеском сыграть роль покорной младшей сестры, явившейся получить нагоняй. Однако сегодня Сашка не был расположен к играм. Он прошелся по кабинету, нервно насвистывая. Что-то его беспокоило, поэтому я тоже начала волноваться.

— Чего ты молчишь? — спросила я нерешительно.

— Не очень-то ты прислушиваешься к моим советам.

— Брось, что я такого сделала, чтобы всерьез на меня злиться?

Он усмехнулся.

— Мы как будто обо всем договорились? Или мое слово с некоторых пор ничего для тебя не значит?

— Саша. — Я подошла и попыталась обнять его. — Я не суюсь в убийство на Катинской.

— Серьезно? — фыркнул он.

— Ты недоволен тем, что я заявилась к Афонину?

— А кто это такой? — поинтересовался Сашка. Выходит, Севка еще ничего не доложил ему, а значит, мой любимый старший брат не имеет к этой истории никакого отношения. Слов нет, как меня это порадовало.

— Так, один тип, — уклончиво ответила я и тут же спросила: — Севка не появлялся?

— Здесь? Ты же знаешь, он не жалует ночные клубы.

— Вдруг за пять лет его вкусы изменились?

Сашка сел на стол и принялся сверлить меня взглядом.

— Кто такой этот Афонин?

— Я же сказала: один тип. Совсем неинтересный. Зато я нашла человека, который видел убийцу Андрея. Убийца высокого роста, темные волосы, симпатичный.

— И твой свидетель берется узнать его через пять лет?

— По крайней мере, надеется.

Сашка задумался, машинально раскачивая правой ногой.

— Очень интересно, — сказал через несколько минут. — И кто же этот свидетель?

— Пока говорить о нем рано.

— Отчего же?

— Мне не хотелось бы называть имя, ему может грозить опасность, ты понимаешь?

— Ему может грозить опасность, если ты мне назовешь его имя? — нахмурился брат.

— Как-то по-дурацки прозвучало, ты прав. Я никому не хочу называть это имя, пока ни в чем не уверена...

— Я надеялся, что ты прекратишь свое расследование... Хорошо, — вздохнул он. — Давай так.

Вернется Илья, ты расскажешь ему об этом человеке, и мы решим, что делать. Это, по-моему, разумно.

— Возможно. Я многого не знаю, и мне трудно разобраться в ситуации...

— Вот именно. Это мужская работа, обещаю, мы найдем убийцу, тем более у тебя уже есть свидетель. А пока займись чем-нибудь приятным. Съезди в Италию. Рим, Венеция... Или в Египет. Восемь дней земного рая. А когда вернешься, Илья уже будет здесь.

— Большое спасибо, — засмеялась я. — Только у меня сейчас не наблюдается никакого интереса к Италии. Начиная все это, я не ожидала обнаружить что-то действительно серьезное. И вдруг такая удача. Неразумно останавливаться на полдороге.

— Неразумно совать голову в петлю, когда самое страшное уже позади, — зло сказал Сашка. — Ты лезешь не в свое дело. Я не хотел быть грубым, извини. Жаль, что приходится повторяться: люди, подставившие Илью, все еще живы и вряд ли захотят, чтобы их вывели на чистую воду. Они найдут способ прекратить твое расследование, и боюсь, что при этом изберут самый радикальный. Ты моя сестра, и я очень беспокоюсь. После такой речи тебе надо броситься мне на шею и со слезами на глазах пообещать, что ты больше никуда не сунешь свой нос.

— Со слезами в настоящий момент проблема, и я не могу ничего обещать тебе, — покаянно сообщила я.

— Черт! — Сашка пнул стул ногой, и тот грохнулся на пол. Мой брат обычно вел себя сдержанно, и эта вспышка гнева меня удивила. Выходит, я в самом деле вступила на запретную территорию. Теперь сообщать ему о предполагаемой слежке было затруднительно. Я стала прикидывать и так, и эдак и решила: не стоит.

— Веди себя прилично, — попросила я и пошла к двери, он остался в своем кабинете, и это, признаюсь, меня порадовало.

Лерка сидела в баре и с мученическим выражением лица пила минеральную воду.

— Как водичка? — поинтересовалась я.

— Противней водки, — ответила Лерка. — Надо же выдумать такую гадость... Как твой брат? Воспитывал?

— Еще бы. Даже уронил стул.

— Старый стал, нервничает. — Лерка хрюкнула и весело покачала головой. — Какие планы на вечер, сидим здесь или продолжим занятия частным сыском?

— Надо знать меру, не то Сашка еще что-нибудь уронит.

Через полчаса мы отправились ужинать, Сашка выглядел хмурым, но разговаривал со мной вполне доброжелательно и стульев больше не ронял.

— Оставь машину здесь, — сказал он, когда мы покинули клуб. — Домой отвезу тебя сам.

— Мы с Леркой сегодня только безалкогольные напитки употребляли, — попробовала отшутиться я.

— Хорошо, я поеду следом. Провожу в квартиру.

— Ты сгущаешь краски, — насторожилась я.

— Береженого бог бережет. Кто знает, как далеко ты успела сунуть свой нос.

Утром, едва поднявшись, я попыталась составить план на предстоящий день. Но все планы пришлось отбросить. В дверь позвонили, я пошла открывать и увидела Нину, а с ней еще двух своих подруг. У Лены была в руках бутылка шампанского и торт, Светлана прижимала к груди пакет, из которого выглядывали апельсины и бананы, все это грозило вывалиться на пол.

— Здрасьте! — ахнула я.

— Встречай гостей! — воскликнула Светка и чмокнула меня в нос.

— Здорово, — засмеялась я, пропуская их в квартиру. — По какому случаю праздник?

— Пьем за твое возвращение к нормальной жизни, — ответила Лена, поставив на стол шампанское и торт. — Слава богу, период затворничества позади... или опять хандрить начнешь?

— Буду держаться, — заверила я, и мы занялись приготовлением любимого блюда: фруктового салата.

— Как дела? — улучив момент, когда мы остались одни, спросила Нина.

— Ты имеешь в виду мое расследование? Так себе. Следует признать, Арчи Гудвин из меня неважный.

— Жаль, а я надеялась, что ты сообщишь мне что-нибудь интересное.

— Сообщу, как только это интересное появится. Скажи лучше, чья была идея прийти ко мне в гости?

— Светкина. Позвонила вчера вечером, говорит, сто лет не собирались, все дни рождения прошляпили, в общем, устыдила, и мы решили: пора.

— Время от времени у нее появляются хорошие идеи, — усмехнулась я.

— Это ты обо мне? — засмеялась Светка, возникая в кухне. — Да моя голова просто пухнет от идей, боюсь, зимняя шапка на нее не налезет.

— Носи капюшон, — посоветовала Лена и добавила: — Давайте устроимся на лоджии, жары не обещают, а шампанское на воздухе для здоровья полезней, как думаешь, доктор Айболит?

— Думаю, — кивнула Нина, и мы, нагруженные тарелками, отправились на лоджию.

Очень скоро я смогла убедиться, что идея встретиться в самом деле была отличная. Мы сидели, ели торт, болтали и разглядывали прохожих. На какое-то мгновение я вдруг поняла, что абсолютно счастлива... «Счастлива, когда он в тюрьме», — поспешила я себя укорить и, разумеется, почувствовала вину за то, что могу смеяться, болтать о пустяках и не думать об Илье.

— Ну, вот, — вздохнула Нина. — Лоб морщишь, и глаза грустные. Пару раз засмеялась — грех большой?

— Брось, — влезла Светка. — В конце концов, он через неделю выходит. Сашка сказал: в среду.

— Ты Сашку видела? — спросила я.

— Да. — Светка вроде бы растерялась. — Вчера.

— Он мне не рассказывал.

— Забыл, наверное. А может, мы с ним позднее встретились. Салат получился — пальчики оближешь, — попробовала она сменить тему.

Светка даже в детстве не умела врать. Я посмотрела на нее с улыбкой и поинтересовалась:

— Так когда, говоришь, вы с ним встретились?

— Не помню, ближе к вечеру.

— Интересно...

— Ладно тебе... Шерлок Холмс. Сашка позвонил вчера, что ж тут такого?

— И попросил организовать дружескую вечеринку? — подсказала я.

— И вовсе нет. То есть он просто спросил, давно ли мы к тебе заходили, а я покаялась, что все никак не выберемся... вот и все. И что здесь такого? — Она вроде бы обиделась, а мы засмеялись.

— Мне Сашка не звонил, но я очень рада, что мы собрались, — сказала Лена.

Где-то часа через полтора ушла Нина, ей нужно было на работу, Лена со Светкой никуда не спешили, и я этому была очень рада. Мы сидели на лоджии, вытянув ноги, пили чай и лениво болтали. Лучшее в мире занятие.

Подруги покинули мою квартиру около пяти, в отличие от меня у обеих были дети, и их нужно было забрать из детского сада. Мы простились, поклявшись друг другу надолго не пропадать, чтобы Сашке не пришлось опять собирать нас телефонным звонком.

Я вымыла посуду и устроилась с книгой в кресле. Примерно в шесть позвонила Нина.

— Ася, только что к нам привезли мужчину с

ножевым ранением, по-моему, это твой знакомый: Гаврилов Александр Анатольевич.

— Что? — Я, кажется, заорала.

— Он без сознания... Помнится, ты про него рассказывала. Он художник, да?

— Господи, да что случилось?

— Не знаю. Могу сказать, что дела у него неважные.

— Я сейчас приеду, — заявила я.

— Зачем? — не поняла Нина.

— Я сейчас приеду, — повторила я и принялась торопливо собираться.

Через пятнадцать минут я въехала во двор «Красного Креста», бросила машину на стоянке и бегом поднялась на второй этаж. Ординаторская была пуста, в коридоре я столкнулась с медсестрой и спросила:

— Простите, где я могу найти Нину Сергеевну?

— Она сейчас на операции. Это надолго. Вы лучше позвоните попозже.

— Спасибо, — мало что соображая, ответила я и пошла к выходу из отделения, но свернула не в тот коридор и оказалась возле операционной.

На стуле в углу сидела девушка и нервно всхлипывала. Я присмотрелась: именно она открыла мне дверь, когда я приходила к Гаврилову.

— Здравствуйте, — сказала я, девушка подняла голову и неожиданно обрадовалась.

— Это вы? — спросила она голосом потерявшегося ребенка. — Это вы тогда приходили, да?

— Я.

— Господи, не знаю, что и делать... — Она горько заплакала, размазывая по лицу слезы сжатыми кулачками. Я села рядом.

— Его оперируют? — спросила я тихо.

Девушка торопливо закивала:

— Да. Врач сказала, надежда есть... ужас какой... прямо на моих глазах... Господи, что я делать буду... вы ведь из-за него пришли, вы друзья? Вы не уйдете? Пожалуйста, не оставляйте меня... так страшно сидеть здесь одной и ждать... Я позвонить хотела, кому-нибудь... ни одного телефона не могу вспомнить.

— Давайте выйдем во двор, — предложила я, взяв ее за руку. — Операция продлится долго. Не надо вам здесь сидеть.

— А вы не уедете? — забеспокоилась она.

— Нет, конечно.

Мы вышли во двор и отправились по аллее, ускоряя шаг. Прогулка больше напоминала бег иноходца, к счастью, мы запыхались и пошли медленнее, понемногу успокаиваясь.

— У вас есть закурить? — спросила девушка.

— В машине. Давайте вернемся.

Я держала ее за локоть, и шаг опять пришлось увеличить. Глядя прямо перед собой, девушка летела, точно на крыльях. Потом резко остановилась.

— Меня Варей зовут. А вас?

— Ася.

— Хорошо, — кивнула она, и я кивнула, хоть ничего особенно хорошего вокруг не видела. Со стороны мы, должно быть, производили впечатление пациентов психиатрической больницы.

Наконец мы добрались до машины и закурили. Руки у Варвары так дрожали, что прикуривать ее сигарету пришлось мне, это удалось с третьей попытки.

— Вы тоже нервничаете, — кивнула она, точно находила в этом какое-то утешение. — Вы ведь давно знакомы? Александр рассказывал...

— Обо мне?

— Вообще, — пожала она плечами. — Что вы давно знаете друг друга... много общих друзей. Я спросила, потому что раньше вас не видела, а мы с Гавриловым уже полгода вместе... И он сказал, что вы уезжали...

— Да... примерно так, — согласилась я и, помедлив, спросила: — Варя, как это случилось?

Я ожидала потока слез, но она закусила губу, с минуту смотрела в окно невидящим взглядом, а потом судорожно вздохнула:

— Я даже ничего не поняла. Мы поехали на рынок за продуктами, тот, что у кинотеатра «Художественный», мы всегда туда ездим. И все было как обычно, купили продукты, а на стоянке машин полно, наша стояла чуть в стороне, почти на проезжей части, и «Жигули» рядом. Саша положил сумки в багажник, открыл дверь мне, я села, а он пошел к своей двери, и тут... я даже ничего не поняла. Из «Жигулей» вышел парень и что-то спросил, Саша к нему повернулся, он... я даже не поняла... Саша за дверь держался, охнул как-то странно и упал на машину, а потом стал сползать. А парень исчез... Господи, я даже номер не запомнила... и ничего не поняла. Выскочила из машины, а Саша лежит. Так страшно... Господи, так страшно. Он ударил его ножом, понимаете? Хоро-

196

шо, кто-то вызвал «Скорую», я сама бы не смогла... Машина там осталась, открытая... а где ключи, не знаю. — Она жалко улыбнулась и вытерла ладонью нос.

— Думаю, о машине позаботятся в милиции, — попробовала я ее утешить. — Отгонят на стоянку.

— Ключей-то нет. — Она вздохнула и, словно извиняясь, добавила: — Машина совсем новая, Саша так радовался... — В этом месте слезы полились сплошным потоком.

Я не знала, что ответить, обняла ее за плечи, и некоторое время мы сидели молча. Потом, оставив Варю в машине, я сходила в отделение. Операция еще не закончилась. Мы ждали часа два. Бродили между корпусов, без конца курили и пялились на окна, пытаясь определить, где находится операционная. Варя больше не плакала, на смену ужасу явилось томительное ожидание, когда человек уже готов ко всему, лишь бы это произошло скорее.

Мы с Варей сидели на скамейке, когда в аллее появилась Нина. Шла она, склонив голову и сунув руки в карманы халата. Увидев ее, я замерла, а Варя тоненько взвизгнула.

— Что? — спросила я. — Умер?

— Обижаешь, — устало ответила Нина, садясь рядом. — Жив. Операция прошла успешно. И он молодец, держится.

— Все хорошо, да? — недоверчиво прошептала Варвара.

— Хорошо будет, когда поставим на ноги. А пока состояние удовлетворительное. Не будет сюрпризов, значит, выкарабкается. Мужик он молодой, крепкий... выкарабкается.

Варвара продолжала смотреть на нее во все глаза и вроде бы не дышала, словно боясь спугнуть удачу, а я кивала, чувствуя, что могу упасть в обморок. В обморок я не упала, вздохнула, глядя на медленно плывущие облака, и сказала:

— Сумасшедший день.

Больницу мы покинули после одиннадцати. В сознание Саша не приходил, но его состояние особых опасений у врачей не вызывало.

Напряжение требовало выхода, мы обе нервно зевали, голову разламывало от боли, хотелось поскорее заснуть и ни о чем не думать. Я отвезла Варю к ее друзьям, и сама отправилась домой.

У подъезда стояла Сашкина машина. В настоящее время встречаться с ним совершенно не хотелось, и я тяжело вздохнула.

Сашка сидел в кухне и вид имел такой, точно первым узнал о начале третьей мировой войны.

— Где ты была?! — рявкнул он, поднимаясь.

— В больнице, — ответила я, прошла, плюхнулась на диван и закрыла глаза, потом жалобно попросила: — Если можешь, не ори, ладно?

— Я тебя два часа жду, впору на стенку кидаться... Как дела у этого парня? Выкарабкается?

— Откуда ты знаешь? — удивилась я.

— Слухами земля полнится. Это твой свидетель, да? Разумеется... я помню, менты их вызывали с девчонкой, забыл ее имя, они крутились возле дома Андрея в ту ночь. Пять лет назад заявили, что ничего не видели и не слышали, и вдруг... идиот несчастный твой Гаврилов. Ясно?

— Я ведь просила не орать, — устало напомнила я.

— Я не могу говорить нежным шепотом, когда моя неразумная сестра рискует жизнью. Что прикажешь делать, сидеть и ждать, когда придут и скажут: какой-то придурок сунул ей нож под ребро? Как, по-твоему, это очень весело?

— Не кричи, — поморщилась я. — Гаврилов вовсе не был моим свидетелем, ни он, ни его бывшая подружка. Они, так же как пять лет назад, утверждали, что ничего не видели.

— Еще не легче. Ты хоть понимаешь, человека едва не убили только за то, что он с тобой встретился? Тебе это ни о чем не говорит?

— Говорит о том, что я очень близко подошла к разгадке.

— Разгадке чего? — зло усмехнулся Сашка. — Вот что, милая. Я старше тебя и не испытываю желания присутствовать на твоих похоронах, так что, если слов не поймешь, посажу под замок. Понадобится, привяжу к стулу. Ясно? Отдохнешь немного, авось в мыслях прояснение наступит.

Он направился к выходу.

— Дверь запри и никому не открывай. И помни: я говорил абсолютно серьезно.

Дверь я заперла и потянулась к телефону. Лерка была трезва и находилась дома, моему звонку она обрадовалась.

— Где тебя носило? И как там частный сыск?

— Слушай, ты вчера не рассказывала Сашке о наших похождениях?

— Про слежку, что ли? Нет. Он просто спросил, где болтались, ну я и сказала, заезжали в какой-то Центр, потом в магазин и к знакомому художнику. Только его дома не оказалось. А что?

— Ничего. Знакомый художник в больнице. Кто-то ударил его ножом в живот.

— Оттого, что я Сашке про него рассказала? — ахнула Лерка.

— Не болтай глупостей... — разозлилась я и бросила трубку.

Лерка чокнутая. Ну спрашивал Сашка, где нас нелегкая носила, так это совершенно нормально. Какой ему прок от убийства Гаврилова? Чепуха. Сашка мой брат и друг Ильи и не может иметь никакого отношения к убийству Андрея. Господи, ну зачем ему убивать? Чтобы подставить Илью? Глупость. Они были друзьями, у них общие дела, а когда Илья оказался в тюрьме, Сашке пришлось ох как несладко. Но ведь кого-то Гаврилов видел... или мог видеть. И еще он сказал... что-то такое, что очень напугало меня... «Иногда лучше не знать». Да, как будто так. А вдруг он имел в виду Илью? В конце концов, мой муж находился в нескольких шагах от дома Андрея и Гаврилов мог его увидеть. Возможно, Илья даже заходил во двор... почему бы нет? Гаврилов ничего не сообщил во время следствия, хотя Илью знал давно и хорошо к нему относился, в милиции промолчал. Значит, либо в самом деле ничего не видел, либо видел что-то такое, что скорее повредило бы Илье, нежели помогло. А как в этом случае отнестись к рассказу Натальи? Гаврилов точно знал, что мой муж не убивал Андрея... Черт... Сашка? Ерунда... У него большие связи. О покушении на Гаврилова он узнал тут же и вполне естественно испугался за меня. Подозревать родного брата — жуткое свинство. Да и в чем подозревать? Но Гаврилова хотели убить по-настоящему и почти преуспели в этом. Некто наблюдает за каждым моим шагом и на всякий случай перестраховывается. Выходит, я на правильном пути. Вопрос: стоит ли продолжать, если за каждый новый шаг приходится расплачиваться чьими-то жизнями?

Утром я долго бродила по квартире, пытаясь ответить на те же вопросы. Потом набрала номер рабочего телефона Нины. Ее дежурство закончилось, но о состоянии Гаврилова мне сообщили. Оно считалось удовлетворительным, в сознание он так и не пришел. Повинуясь безотчетному порыву, я по справочной узнала номер телефона «Натали» и позвонила. Приятный женский голос сообщил:

— Слушаю вас.

— Извините, я хотела бы поговорить с Натальей Юрьевной.

Полминуты царило молчание, я уже было решила, что девушка меня не слышит, но тут она справилась с дыханием и виновато спросила:

— Вы еще не знаете? Она погибла вчера, около пяти часов. Ее сбила машина, совсем рядом, в трех шагах от магазина...

Я повесила трубку и с трудом добралась до дивана.

— Это могла быть случайность, — попробовала я себя утешить. — Каждый день кого-нибудь сбивает машина. — И тут же зло себя одернула: — Перестань, ты сама в это не веришь.

Тут я вспомнила про Артемова и набрала номер, услышав его голос, вздохнула с облегчением.

— Владимир Петрович, это Ася.

— Здравствуйте, — говорил он сдержанно и как будто испытывал смущение. — Анастасия Юрьевна, — очень официально обратился он. — Я хотел просить вас... в общем, не звоните мне больше.

Трубку он не бросил, и это дало мне возможность задать вопрос:

— У вас неприятности?

— Пока, слава богу, нет, но мне их обещали.

— Кто-то звонил?

— Нет, остановили на улице сына, когда он шел в магазин, и просили передать папе письмо. В нем доходчиво рекомендовали забыть о том, что на свете существуете вы. И вообще сидеть тихо. Извините, но это как раз то, что я собираюсь сделать.

— Это вы меня извините, — промямлила я и повесила трубку.

Прихватив сигарету, отправилась на лоджию, села на порожке и задумалась. Честно сказать, было над чем ломать голову. Масса догадок, обрывки сведений, которые никак не желали выстраиваться во что-то логичное. Первое, что очень смущало: почему, убрав людей, с которыми я встречалась, не тронули меня? Хотя как раз с моей особы неизвестным следовало бы начать. Кроме недавней слежки, ничего похожего на интерес ко мне не наблюдалось. И как я должна расценивать подобное? Ладно, пока в голову не приходит ничего путного, оставим это. Подумаем о Севке.

Собственная жена обвиняет его в лицемерии. Теперь и у меня самой есть повод относиться к нему с недоверием. Я рассказала ему о Володе, и парня застрелили. Пятью годами раньше случайный свидетель расстрела излил ему душу и тоже погиб. В его дежурство скоропостижно скончался в больнице раненый охранник, которому, по утверждению Нины, отдавать богу душу было явно ни к чему. После безвременной кончины тело кремировали, не получив согласия родственников, патологоанатом погиб, а два сотрудника милиции и главврач поменяли место работы и, если я хоть что-то понимаю, сейчас напрямую сотрудничают с бандитами. При первой опасности Афонин бросился к Севке и... ничего не произошло. Если не считать того, что кто-то весьма по-дилетантски вел за мной наблюдение. Выходит, Севка — продажный мент? Он каким-то образом связан с расстрелом на Катинской и подчищает старые следы? Некая группировка пять лет назад решила разобраться с тремя авторитетами... и использовала для этого сотрудника милиции? Севка вошел в квартиру, где происходила их встреча, и расстрелял всех из автомата? Да-а... может, мне стоит обратиться к психиатру? Может быть, и стоит, но во всем этом что-то есть. Один из охранников — Сашкин армейский друг, Сашка дал слово, что не имеет к убийству никакого отношения... Очень хорошо сформулировал: «сам не имеет». Севка мог воспользоваться Сашкиной дружбой с охранником... Тот был знаком с убийцей... отличная мысль, по крайней мере, она объясняет, как стрелявший смог войти в дом... В дом могли войти сотрудники милиции, предъявив соответствующие документы... и расстрелять бандитов? Трудно в такое поверить. Чем три пожилых уголовника смогли так допечь ментов, чтобы те отважились на подобное? Или одного мента?..

— Эй, — притормозила я. — Ты ведь это не всерьез, не можешь ты так думать о Севке?

Могу, не могу... Если охранник был в сговоре с убийцей, как объяснить то, что его самого ранили, а на следующий день в больнице попросту убили?.. Это объясняется очень просто: свидетель такого преступления опасен. Не только милицию заинтересует это дело, но и весь криминальный мир города... Трудно поверить, что охранник не подумал об этом. Как человек бывалый, он должен был знать, чем грозит ему отступничество. В любом случае он умер при странных обстоятельствах на следующий день, как ни верти, а здесь Севка явно замешан. Почему замешан? А что, если все было проще? Он получил приказ и... Я бы приняла версию, что с бандитами разделались власти, если бы не была убеждена в том, что сейчас трое из четверых участников трагедии сотрудничают с бандитами. Не очень-то понятно, и концы с концами не сходятся. А самое главное: какое все это имеет отношение к Илье? Только одно: место действия. Узкий пятачок между трех улочек, где разыгрались две трагедии и где мой муж что-то видел. Не просто что-то, а нечто такое, что заставило его отказаться от меня. А я-то знаю — это было для него отнюдь не просто.

Почему погиб Андрей, совершенно неясно. Сколько бы я ни разговаривала с людьми, близко его знавшими, и сколько бы ни ломала голову сама, ничего похожего на серьезную причину. Если принять версию об убийстве на почве ревности, тогда непонятно, почему мои поиски вызвали такую реакцию? Кто этот ревнивец, решивший через пять лет убить предполагаемых свидетелей? Нет, убийство на почве ревности никуда не годится. Тут что-то иное. Вопрос: что?

Я поднялась и начала бродить по комнате, время от времени брала в руки какие-то предметы, книги, различные безделушки, вертела их и так, и сяк, точно надеясь, что в них таится ключ к разгадке.

— Может, Сашка прав и не стоит рисковать жизнями людей, разгадывая этот ребус? — громко спросила я, покосившись на портрет Ильи. Сашка считает, что вернется Илья, и все будет по-прежнему. По крайней мере, для нас. Но я так не считаю. Илья пять лет хранил молчание и вряд ли станет объясняться сейчас. Зная его характер, разумнее предположить, что он вежливо пошлет меня к чертовой матери, а с Сашкой, своим давним другом, просто не пожелает говорить на данную тему. — Ладно. — Я вздохнула. — Допустим, я тебя потеряла, но я имею право знать: почему?

Я прошла в кухню и заварила крепчайший кофе, иногда он мне помогает. Только не сегодня. Я выпила две чашки, а мысли по-прежнему скакали, как блохи, и не желали выглядеть логичными.

— Сейчас главное решить: занимаюсь я этим дальше или нет? — еще громогласней возвестила я, словно и впрямь надеялась, что Илья меня услышит. Если бы рисковать только своей головой... но на деле выходит — чужими.

Я разозлилась, швырнула чашку в мойку и отправилась на диван. «Сегодня лучше вообще ни о чем не думать, — мудро рассудила я. — Трудно ожидать, что в таком состоянии меня озарит».

Я закрыла глаза и попробовала уснуть. Ничего не вышло, да и немудрено, поскольку кофе был чрезвычайно крепким. Некоторая нелогичность действий меня расстроила, я вышла на лоджию, взглянула на яркое небо с облаками, похожими на клочья ваты, и отправилась искать в кладовке раскладушку: отчего бы не позагорать, раз погода хорошая, а в голову не приходит ничего путного.

Раскладушку я нашла, но полноценного отдыха не получилось: одолевали все те же мысли. Я перебрасывала их в голове, точно жонглер разноцветные шарики, а толку от этого становилось все меньше и меньше.

С раскладушки я вскочила довольно быстро и принялась метаться, как зверь в клетке. От этого занятия меня отвлекла Лерка, с лоджии я заметила ее появление во дворе и не знала, радоваться мне или злиться еще больше. Разговаривать ни с кем не хотелось, но и беготня по квартире сильно отдавала белой горячкой. В общем, я не стала делать вид, что меня нет дома, и дверь Лерке открыла.

Она выглядела трезвой, озабоченной и даже сердитой.

— Чем занимаешься? — спросила она, проходя в комнату, потом выглянула на лоджию, соблаговолила заметить, что разгуливаю я в купальнике, и завистливо добавила: — Загораешь?

— А тебе кто мешает? — хмыкнула я.

Вместо ответа она стянула платье и устроилась на раскладушке, а я села на порожке и минут пять смотрела на нее, словно ожидая чего-то. Не дождалась, мысленно чертыхнулась и отвела взгляд. Вот тут Лерка и заявила:

— Сашка злится.

— На меня?

— А то. И на меня, конечно. По-моему, он прав, с игрой в сыщики пора завязывать. Глупо лишиться головы за неделю до возвращения любимого мужа. Я твою голову имею в виду. Моя, как видно, ни для кого особой ценности не представляет. И вообще... — В этом месте она вздохнула и посмотрела на меня как-то странно.

— Что вообще? — насторожилась я.

— Ты ведь не думаешь, что это Сашка? — твердо спросила она, а я разозлилась.

— Что значит «это Сашка»?

— Ну... что он подставил Илью и все такое... а теперь заметает следы.

— Ты это говоришь на полном серьезе?

— Я просто спросила. И чего ты орешь? Между прочим, очень громко, у меня уши закладывает. Мне показалось, что ты можешь прийти к такому выводу, а это... В общем, твой брат очень беспокоится. И он... он, кажется, несчастен. По-настоящему. Ей-богу, я едва не рыдала вместе с ним.

— Ты хочешь сказать, что он рыдал? — вытаращила я глаза.

— Нет. Я с трудом представляю, как такое могло бы произойти. Есть вещи, которые Сашке явно не по силам. Например, пустить слезу или полюбить женщину... Ты не в счет, ведь ты сестра и, следовательно, для него не женщина. Хотя, может, наоборот, потому и все остальные неинтересны, я забыла, но у Фрейда по этому поводу имелось что-то весьма затейливое.

— Слушай, ты ведь трезвая? — удивилась я.

— В общем, да. Но трезвая я иногда болтливее пьяной. Моя речь сводится к следующему: сегодня перед Сашкой мне было очень стыдно. В конце концов, я ему все-таки жена, хоть он считает по-другому, а ты — родная сестра. А когда самые близкие люди начинают думать о тебе гадости, это, знаешь ли, больно ранит. Короче, я не хочу быть доктором Ватсоном, а ты наплюй на роль Шерлока Холмса. Родственники должны помогать друг другу, а не портить жизнь. Может, я по причине хронического алкоголизма изъясняюсь путано, но Сашка не заслуживает того, чтоб к нему относились по-свински, особенно ты. Я-то могла бы кое-что себе позволить, но это уже совсем другая история.

Мы сидели, уставившись друг на друга, и, кажется, чего-то ждали.

— Он в самом деле так думает? — не выдержала я.

— О твоих подозрениях? — Лерка пожала плечами. — Он переживает и здорово нервничает. Он по натуре романтик, как ни забавно это звучит, очень хочет, чтобы Илья вернулся и все пошло по-прежнему. Друг, сестра, вы вместе — одним словом, хеппи-энд. Я ничего не имею против, потому мысленно присоединяюсь к нему.

— Но в этот самый хеппи-энд не веришь? — уточнила я.

По губам Лерки скользнула едва заметная улыбка. Честно говоря, улыбки такого сорта меня всегда настораживали.

— Я не очень верю в счастливый финал, если говорить о жизни, о реальной жизни. Хотя приветствую и вообще люблю жизнь. Но... что-то заставило Илью с тобой расстаться. Ты считаешь, что тебя кто-то подставил, а я думаю, все обстоит гораздо проще: просто ты ему не нужна, точно так же, как я твоему брату. Я имею в виду, не нужна по-настоящему. То есть приятно иметь женщину в доме, особенно когда она красива, умна и души в тебе не чает. Потом жизнь меняется, и эта самая женщина становится помехой. Надо о ней думать, беспокоиться, утешать, а тут своих забот выше крыши. Проще послать ее ко всем чертям и сосредоточиться на своих проблемах. — Лерка поднялась и пошла к двери. — Илья возвращается. Он живой человек, и ему понадобится баба, почему бы вновь не вернуть тебя? Главное, момент не упустить, вовремя под рукой оказаться. А для себя сочинить сказку, что он тебя простил. Как ты сейчас сочиняешь, что тебя подставили. Вы с братом — мастера всяких сказок.

— И ты еще удивляешься, что Сашка тебя не любит? — горько улыбнулась я.

— Не-а, я уже давно ничему не удивляюсь... хотя... иногда я удивляюсь тебе... Ты с нетерпением ждешь возвращения Ильи... В самом деле ждешь? И не боишься?

— Чего? — опешила я.

— Ну... — Лерка пожала плечами, распахнула дверь и добавила: — Никогда не знаешь...

Пока я хлопала глазами, дверь закрылась. Постояв с минуту точно пень, я бросилась на лоджию. Лерка как раз не спеша шла по двору.

— Эй, чокнутая, подожди! — крикнула я. — Ты что-нибудь знаешь? Я сейчас спущусь.

— Не надо... — махнула рукой Лерка. — Я злюсь из-за твоего братца и срываю зло на тебе. Я вообще стервозная баба. — В этом месте она возвысила голос и пролаяла: — Боюсь, как бы через эту самую стервозность мне головы не лишиться. Твой Илья — мужик суровый... был. — Лерка сделала дурацкий книксен и зашагала со двора, а я крепко выругалась.

— Идиотка! Господи, вот идиотка! Просто убила бы ее, ей-богу!

Само собой, нелепый разговор с Леркой покоя в душу не внес. Она в самом деле стерва и хроническая алкоголичка, и как преломляются в ее мозгу реальные события — одному богу ведомо. Что она выдумывает и о чем знает?

— Стерва! — рявкнула я и уставилась на телефон. — Пожалуй, следует позвонить Сашке.

Пока я размышляла, он позвонил сам.

— Привет. — Голос брата звучал едва ли не враждебно.

— Привет, — ответила я, чувствуя себя бесконечно виноватой.

— Лерка у тебя?

— Ушла, только что.

— Пьяная?

— Нет. И пить не собиралась.

— Верится с трудом. Ладно, пока...

— Сашка, — торопливо позвала я.

— Ну?

Я подумала, что бы такое ему сказать, и брякнула:

— Я люблю тебя.

— Я тоже тебя люблю, — ответил он, а я добавила:

— И я никуда больше не сунусь, честно.

— Это было бы здорово. У меня седина на висках поперла, и все через твое дурацкое следствие, а парень я молодой и даже еще не женатый. В общем, если нетрудно, побереги мою шевелюру.

— Ты заедешь? — с легким подхалимством в голосе осведомилась я.

— Сегодня нет. Занят. Завтра, если выберу время. Будь умницей, сходи к подружкам, потрать деньги на прическу, сделай маникюр, словом, займись чем-нибудь таким и не забивай себе голову. Хорошо?

— Хорошо, — согласилась я, и мы простились.

Три дня я честно держала слово, данное любимому брату, то есть ни во что не вмешивалась и ничем не интересовалась. Просто лежала на диване и читала Томаса Манна. Затворничеству способствовал тот факт, что погода окончательно испортилась, почти без перерыва лил дождь, ветер клонил к земле подросшие во дворе березки, а столбик термометра упал до пятнадцати градусов.

Общение с внешним миром свелось к телефонным звонкам. От Нины я узнала, что дела у

Гаврилова идут неплохо, и порадовалась. Лерка, конечно, тоже мне позвонила.

— Злишься? — поинтересовалась она со вздохом, я послала ее к черту, а она принялась канючить: — Это все из-за твоего брата, обидно мне стало — на опасное дело мы вроде бы вместе ходили, а беспокойство о тебе одной. Вот и захотелось сказать кому-нибудь гадость.

— Слушай, может, ты собаку заведешь, исключительно с этой целью? Собаки бессловесны, по-моему, это очень удобно.

— Не очень, — хмыкнула Лерка. — Они кусаются.

— Боюсь, если ты будешь продолжать в том же духе, я тоже начну кусаться.

— Ладно, давай я приеду?

— Нет, не давай. Во-первых, дождь, во-вторых, я еще не готова любить тебя долго и счастливо.

— Я же объяснила: во всем виноват твой брат.

— Слушай, может, тебе любовника завести? — предложила я.

— Я уже думала об этом, ничего не выйдет. Дело в том, что я однолюбка.

— Вот и люби себе на здоровье, а меня оставь в покое, — обрадовалась я и разговор прекратила.

После чего предприняла вылазку в магазин. Зонт от ветра выворачивало так, что, казалось, его не удержать в руках. Я вся вымокла, а борьба со стихией далась мне с таким трудом, что, вернувшись, я прилегла на диван и уснула, точно убитая.

Проснулась и с тоской взглянула на мир. Выглядел он паршиво: низкие облака, все тот же дождь и пронизывающий ветер. В комнате пришлось включить свет, а потом и рефлектор: было очень холодно. Я пила чай с лимоном, валялась на диване, кутаясь в пушистый плед, и радовалась, что в такую погодку мне не нужно выползать из дома.

В четверг меня навестила Нина, в пятницу заехал Сашка, и не один, а с Леркой, она улыбалась, помалкивала и выглядела исключительно довольной. В воскресенье я открыла глаза, посмотрела на все тот же портрет и громко сообщила:

— Совсем немного осталось! — после чего бодро поднялась и прошествовала на лоджию.

Было еще очень рано, солнечные лучи отражались в многочисленных лужах, над городом стояла тишина, свойственная воскресному утру. Я поежилась от влажного воздуха, но почувствовала: день будет солнечным и жарким.

Радуясь бог знает чему, я быстро оделась и пошла на рынок. Он находился неподалеку от моего дома, после трех дней лежания на диване прогуляться было приятно.

Я размахивала хозяйственной сумкой и что-то напевала: настроение было отличное. Правда, очень недолго. Машина возникла, как только я вышла к троллейбусной остановке. Расхристанный двухдверный «БМВ» какого-то тускло-синего цвета, как видно, сто раз перекрашенный. Он следовал за мной на расстоянии тридцати метров и даже не пытался скрыть своего присутствия.

Я замерла на остановке, парень на «БМВ» прижался к тротуару и заглушил мотор. Я отправилась пешком, решив не дожидаться троллейбуса, и он поехал следом.

— Черт знает что! — выругалась я, теряясь в догадках: что бы сие значило? Кто-то меня пугает? Ребята несколько припозднились. Хотя они ведь не знают, что я решила вести себя примерно и ни во что не совать нос.

Очень скоро «БМВ» стал здорово действовать мне на нервы. Тут из-за угла возникло огромное здание рынка под стеклянной крышей, и я ускорила шаг. Хотелось поскорее раствориться в толпе, чтобы не чувствовать на себе бдительного ока. Блуждая между прилавками, я понемногу успокоилась. Купила большой пакет клубники, зашла в туалет, вымыла ягоды и побрела дальше, улыбалась и жевала на ходу.

Через час сумка уже оттягивала руку, пакет с клубникой пришлось убрать, я заспешила к выходу с рынка.

«БМВ» стоял напротив. Мысленно выругавшись, я ускорила шаг, направляясь к нему. Кабина была пуста. Стекло со стороны водителя открыто, и ключ торчал в замке зажигания. Весьма неосторожно, по-моему. Я сунула руку в открытое окно и вытащила ключ, после чего отошла на пару шагов в тень густой липы, решив дождаться хозяина, очень мне с ним поговорить хотелось.

Ждать себя он не заставил. Только я все это проделала, как тут же услышала за спиной голос:

— Привет.

Резко обернулась и увидела парня лет двадцати — в джинсах, широкой футболке, сандалиях на босу ногу и темных очках. В руках он держал арбуз.

— Привет, — кивнула я, а парень улыбнулся:

— Эти ключи, случаем, не от моей тачки?

— А она твоя?

— Если ты вот об этой груде металлолома, то моя. Конечно, не «шестисотый» «мерс», но бегает прилично.

— Трудно поверить, раз ты еле-еле тащился, — усмехнулась я.

— Ну, если бы ты была на машине, моя побежала бы быстрее, — пожал он плечами, а я немного растерялась.

— Ты что, следил за мной? — спросила я, нахмурившись.

— Можно сказать и так, — согласился он, чем окончательно сбил меня с толку.

— А зачем тебе это понадобилось?

Он вроде бы смутился:

— Хотел познакомиться.

— Как это? — брякнула я, а он удивился:

— К тебе что, никогда парни на улице не подваливали?

Я попробовала припомнить такой случай... Трудно это было... память стремительно уносилась к юношеским годам.

— Вот что, — вздохнула я. — Не скажешь правду, я твой ключ заброшу подальше, вряд ли ты его сможешь отыскать. Не очень весело, да?

— Какую правду я должен сказать? — вытаращил глаза парень. — Я хотел с тобой познакомиться. Вот и все... Ключ верни, арбуз здоровущий, и стоять с ним в обнимку мне неудобно.

— Ты меня возле двора подкарауливал, — грозно напомнила я.

— Ну... — кивнул парень.

— Что, ну?

— А что ты спросила?

— Выходит, ты хотел познакомиться еще раньше?

— Само собой. Я живу в доме напротив, а ты загорала на лоджии. Мне понравился твой купальник.

Или все успели забыть, кто такой Илья Верховцев, или парень в нашем районе новичок.

Я протянула ключи, он открыл машину, положил арбуз на заднее сиденье и повернулся ко мне.

— Я мог бы отвезти тебя домой.

— Спасибо, — хмыкнула я.

— Нет, серьезно. Нам ведь по пути, и сумка у тебя тяжелая.

Я посмотрела на него внимательно, а он добавил:

— Меня Мишей зовут. А ты Ася, правильно?

— Правильно.

— Тогда садись в машину, — улыбнулся он и взял из моих рук сумку.

Подумав, я села и тут же разозлилась: а что, если это ловушка? Белая горячка у тебя, вот что. В каждом видишь врага, выдумываешь всякую ерунду.

Мы уже тронулись с места, Миша поглядывал на меня и улыбался. В конце концов я тоже улыбнулась.

— Не подумаешь, что у тебя проблемы с парнями, — заметил он.

— С чего бы им взяться?

— Ведешь себя как-то странно, точно сроду ни с кем не знакомилась.

— Примерно так оно и есть, — подумав, согласилась я.

— Заливаешь? — удивился Миша.

— Нет, честно.

— Ты ведь красивая. Очень.

— Да? Спасибо. — Как отнестись к этому, я не знала, а чувствовала себя хуже не придумаешь. Разговор казался мне глупым, а я сама — абсолютной дурой. Может, у меня действительно проблемы с парнями?

К счастью, мы уже въехали в мой двор.

— Ну, вот... — Он притормозил и повернулся ко мне. — Хочешь, отнесу твою сумку?

— Не стоит. Спасибо, что доставил меня к подъезду.

— Такой арбуз я один не съем, может, составишь компанию?

Я уже вышла из машины и покачала в ответ головой, правда, с улыбкой.

— А позвонить тебе можно? — заторопился он.

— Ты знаешь номер телефона? — удивилась я.

— Узнать нетрудно. Ну, как?

— Пожалуй, лучше не надо. Извини.

Я вошла в подъезд и, поднимаясь по лестнице, решила: у меня точно проблемы с парнями.

Телефонный звонок застал меня врасплох. Я сняла трубку и услышала незнакомый мужской голос:

— Анастасия Юрьевна?

— Да, — ответила я, теряясь в догадках. Звонивший не мог быть моим утренним знакомым: голос явно принадлежал пожилому человеку.

— Не удивляйтесь, пожалуйста, — продолжил он. — Я хотел бы с вами встретиться.

— Простите, я не очень понимаю... Кто вы?

— Мы не знакомы, и мое имя вам ничего не скажет. К тому же у меня много имен. По крайней мере, было. Теперь я просто пенсионер, каких тысячи, и встреча со мной неприятностями вам не грозит. Каюсь, я очень любопытный, возможно, и ваше любопытство смогу удовлетворить. Ну, так что?

— Мне не нравится наш разговор, — довольно сурово возвестила я, а он засмеялся:

— Я обещал: никаких неприятностей. Встреча двух любопытных. Только и всего.

— Может, вы хотя бы намекнете на объект вашего любопытства? — усмехнулась я.

— Убийство на Катинской, — вкрадчиво ответил он, а я вроде бы лишилась дара речи. — Что скажете?

Я кашлянула, собираясь с духом.

— Вряд ли я смогу быть вам полезной. Об этом убийстве мне ничего не известно.

— Но ведь оно вас интересует? — хохотнул он.

— Скорее меня беспокоит совпадение во времени с другим убийством, — ответила я.

— Это вполне понятно. Если не возражаете, встретимся завтра, в одиннадцать утра. Приходите в парк «Речной», вы ведь знаете, где это?

— Знаю. — Кажется, я уже пришла в себя и заинтересовалась.

— Вот и отлично. Жду завтра в одиннадцать.

— Послушайте...

— Вы, конечно, можете рассказать кому-нибудь о моем звонке, — перебил он. — Но в этом случае встреча вряд ли состоится.

— Вот это да, — брякнула я, повесив трубку. — И что сие означает? Только одно, радость моя: вопросами и беготней по городу ты добилась своей цели, на тебя обратили внимание.

Не скажешь, что это очень обрадовало, скорее наоборот. Теперь следует решить, что предпринять? Отправлюсь я завтра на эту самую встречу или... Нет, вопрос ты ставишь неправильно: сообщу я о встрече Сашке или Севке, чтоб они смогли меня подстраховать, или глупо суну голову в петлю?

Кому я могла понадобиться? Ответов два: убийце трех крутых старичков-авторитетов или убийце Андрея. Если, конечно, это не один и тот же человек. И что? Он решит устроить допрос с пристрастием, а потом от меня избавится? Не так уж и глупо, если учесть, что за его плечами еще два недавних убийства и одно покушение. Хотя все можно было проделать проще... Нет, встретиться стоит.

Я продолжала размышлять об этом весь остаток дня и следующее утро. Без пятнадцати минут одиннадцать, так ничего путного и не решив, села в машину и отправилась к парку. По дороге костила себя на чем свет стоит. Если бы Сашка узнал... убил бы, наверное. Слава богу, он не знает... вполне возможно, я очень скоро пожалею об этом.

Возле парка я притормозила ровно в одиннадцать. Не знаю, чего я ожидала, но в тот момент чувствовала себя дурой: возле входа ни души. А что, если это розыгрыш?

Прошло минут двадцать, ничего не происходило, я совсем было собралась уехать, но передумала, вышла из машины и направилась в парк.

— Ася, — окликнул меня кто-то, я повернулась и увидела вчерашнего парня. Теперь он был в бейсболке, надвинутой на самые глаза, но я его сразу узнала.

— Привет, — отозвалась я не очень приветливо. Встречаться с ним в мои планы не входило, но теперь уже все равно.

— Привет, — ответил он, подходя ближе, потом указал на новенький «Форд», стоящий в стороне, и добавил: — Поехали.

— Со вчерашнего дня ты разбогател? — усмехнулась я.

— Ага. Поехали.

— Ничего не выйдет. Я на машине и не намерена ее покидать.

Я уже повернулась спиной, но тут он ухватил меня за локоть.

— Тебя ждут, — сказал серьезно, а я нахмурилась.

— Кто, интересно?

— Человек, который звонил тебе вчера около пяти и назначил встречу в одиннадцать возле парка.

Я вроде бы задумалась.

— Так это не случайно... я имею в виду, что вчера ты следил за мной?

— Конечно. — Он улыбнулся, потянул меня за локоть и добавил вполне по-человечески: — Не беспокойся, все нормально. Поговорите, и я тебя доставлю назад. А за твоей тачкой присмотрят.

— Слушай, — притормозила я. — Что-то не хочется мне ехать. Пожалуй, я дурака сваляла...

— Просто разговор, — развел он руками. — Не бери в голову...

— Ну, если ты обещаешь, — хмыкнула я и бодро зашагала рядом, никакой бодрости не ощущая.

Мы сели в «Форд» и тронулись с места.

— Тебя правда Мишей зовут? — задала я вопрос.

— Конечно, — удивился он. — И ты мне нравишься, так что я почти не врал. Правда, живу далековато от твоего дома и вчера увидел тебя впервые.

— А куда мы едем? — Если парень разговорчивый, отчего же этим не воспользоваться. Он хохотнул.

— Сейчас узнаешь. Потерпи немного.

Между тем мы уже выехали из города, и, честно скажу, это меня не порадовало. Я все больше беспокоилась, а на Мишу смотрела с подозрением. Он то и дело поворачивался ко мне и улыбался. Да, умной меня точно не назовешь... Ну надо же, и Сашке ничего не сказала...

Мы свернули на проселочную дорогу, впрочем, она быстро оборвалась возле больших деревянных ворот. Высоченный забор скрывали кусты боярышника. Я покрутила головой и увидела стайку ребятишек с удочками, они, весело переговариваясь, прошли в пяти шагах от машины, заметив Мишу, сказали недружно:

— Здравствуйте.

Он ответил с улыбкой:

— Привет, шпана.

А я успокоилась, очень уж мирная картина вокруг, чтобы клацать зубами и падать в обморок.

Въезжать в ворота Миша не стал, развернулся и заглушил мотор, продемонстрировав улыбку, широкую и дружескую, точно хотел меня успокоить, и предложил:

— Пошли.

Мы направились вдоль забора, свернули влево, и моим глазам открылся дачный поселок, довольно большой. Сделав еще один поворот, мы оказались возле калитки. Миша распахнул ее и сказал:

— Прошу.

Через дорогу шла женщина с трехлитровой банкой молока, она крикнула:

— Миша!

Мы оглянулись, и женщина зашагала быстрее.

— А я к вам. Вот, возьми, Василич заказывал.

— Здравствуйте, — обрадовалась я, женщина кивнула, улыбнулась и спросила:

— Гости у вас?

— А как же без гостей? — ответил Миша, принимая из ее рук банку. — Зайдешь? Чайку попьем.

— Вечером. Пойду Валерку искать, ушел, чертенок, на рыбалку, шести не было, и по сию пору не вернулся. Беспокоюсь.

— Щуку принесет, зови на уху.

— А как же... — Женщина зашагала по дороге, Миша, глядя ей вслед, крикнул:

— Петровна, увидишь Катерину, напомни, что часам к десяти ждем!

— Да разве ж она забудет, — не оборачиваясь, махнула рукой женщина, а мы по песчаной тропинке направились к симпатичному двухэтажному домику. Впрочем, дом был не таким уж и маленьким. Четыре окна внизу, огромное окно с резным балконом на втором этаже, ромбовидную башенку венчал флюгер в виде петушка, выкрашенного золотистой краской, он весело блестел на солнце, пребывая в неподвижности. Кусты раскидистых роз обвивали веранду первого этажа и часть стены. Земной рай...

Встреча у калитки и образцовая дача должны были окончательно успокоить меня, но почему-то окружающее здорово отдавало бутафорией, точно кто-то не очень умело разыгрывал передо мной спектакль.

— Ваша соседка? — спросила я.

— Да. Местная, корову держит, мы у нее молоко берем, а по вечерам играем в лото. Дачная жизнь, одним словом.

Мы шли вдоль веранды. Чуть ускорив шаг, Миша обогнал меня, поднялся на резное крылечко и поставил банку в тень. В этот момент из-за дома послышался голос:

— Миша, это ты?

— Я, — громко ответил он и опять сказал: — Идем.

А я кивнула, голос был тот самый, который я вчера слышала по телефону.

Мы завернули за угол дома и оказались в саду. Сад довольно большой, яблоневый, с этой стороны к дому примыкала открытая веранда, к ней мы и направились. Я поднялась на три ступеньки и замерла в некотором недоумении. Судя по голосу и манере говорить, обладатель таковых представлялся мне сухоньким старичком с благообразной внешностью, в легком костюме без галстука и непременно в белой панаме. Может быть, с тростью. Вероятно, с насмешливыми глазами и скользкой улыбкой.

В кресле сидел очень крупный мужчина, на вид вовсе не старый, лет пятидесяти пяти, может, чуть больше. Огромные руки лежали на подлокотниках кресла. Такими руками, должно быть, удобно гнуть подковы. Одет он был в пижаму, куртка застегнута только на две пуговицы, и глазам моим предстала мощная волосатая грудь, золотая цепь на бычьей шее и тяжелый крест. Физиономия «старичка» была под стать всему остальному: крупные черты, бритый наголо череп, приплюснутый нос, точно смазанные губы. Я не удержалась и присвистнула.

— Здравствуй, Ася, — произнес тип в кресле и широко мне улыбнулся, блеснув золотыми коронками.

— Здрасьте, — кивнула я, сделала шаг навстречу хозяину и только тогда поняла, почему он сидит как-то странно: у мужчины не было обеих ног по самый пах. Я вроде бы дернулась, сглотнула и убрала с лица дурацкую улыбку.

Миша пододвинул мне стул, подмигнул, стоя спиной к хозяину, и исчез в доме. Я села, стараясь смотреть в лицо мужчине и не опускать взгляд на плед, и спросила:

— Как мне вас называть?

— Зови Яков Васильевич.

Я кивнула, и некоторое время мы молчали, стараясь что-то там усмотреть в лицах друг друга.

Появился Миша, толкая перед собой сервировочный столик. На нем стояли электрический самовар, чашки, варенье в красивой вазочке и разнообразные сладости в большом блюде.

— Угощайся, — предложил мне Яков Васильевич. — Жизнь у нас дачная, а при такой жизни чай — первое удовольствие.

Миша опять скрылся в доме, а я приподнялась, разлила чай в чашки, одну подала хозяину, а вторую взяла себе, устраиваясь поудобнее. Все происходящее необыкновенно интересовало меня.

— Гадаешь, кто я и зачем позвал? — вдруг усмехнулся хозяин, а я покачала головой.

— Я не цыганка, гадать не мастерица. Может, сами объясните?

— Может, — кивнул он. — Ты угощайся, будь как дома. Если надо чего, только скажи. Может, коньяк?

— Ого, — усмехнулась я. — Неужто интересовались моей особой?

— А как же. Человек я любопытный. И в моем положении грех этот извинителен. Чем еще заняться инвалиду, как не чужими секретами? Вот сижу, точно паук, и сплетни собираю. Словечко там, два здесь, так жить веселее.

— Должно быть, вы хорошо знали погибших на Катинской? Они ваши друзья... или соратники... Не знаю, как выразиться, чтобы вас не обидеть.

— А ты не бойся, я не обидчивый.

— Думаю, ласковым интонациям в вашем голосе доверять особо не стоит. Человек вы опасный.

Он засмеялся.

— Я был опасным. Пока на ногах стоял. Был да весь вышел. Теперь живу пенсионером. Хорошо, Мишка рядом. Славный парень.

— Он ваш родственник?

— Вроде того. Помру, хоть будет кому добро завещать. И зло тоже.

— Не очень весело звучит. — Я отставила чашку и посмотрела на хозяина. — Может, скажете, зачем позвали? Неужто чай пить?

— Я ж тебе говорил: любопытный я. Очень хотелось на тебя взглянуть. Слух прошел, ты вроде людей расспрашиваешь, узнать чего-то хочешь. А вот зачем?

— А зачем мне вам об этом говорить? — пожала я плечами и стала смотреть на клумбу возле веранды — ухоженную, радующую глаз пестрыми цветами.

Яков Васильевич довольно хохотнул.

— В самом деле, зачем? Но ты все-таки расскажи...

Я покосилась с удивлением, а он продемонстрировал в широчайшей улыбке все свои золотые зубы.

— Вы ведь знаете, кто мой муж? — помолчав, спросила я.

— Конечно.

— Его арестовали в ту ночь, когда расстреляли ваших друзей на Катинской. Что-то странное произошло тогда... Объяснять не берусь, но это как-то связано. Кто-то расправился с вашими друзьями и подставил Илью. Кто-то, кому очень хотелось разом избавиться от всех конкурентов. Думаю, это один и тот же человек или люди. Серьезной критики сказанное мной, возможно, не выдерживает, но я доверяю интуиции...

— Ясно, — кивнул Яков Васильевич, глядя на меня очень внимательно и без улыбки. — Ну и что ты узнала?

— Да почти ничего, — пришлось сознаться мне. — Правда, появились свидетели, которые видели убийцу Андрея, хотя...

— Я понял, — кивнул он. — Свидетели, конечно, сразу сыграли в ящик?

Я посмотрела ему в глаза, подумала и кивнула.

— Ты ведь рассказала о них своему менту, я имею в виду Дерина Всеволода Павловича?

— Послушайте... — нахмурилась я, он хохотнул и махнул рукой:

— Мент продажный. Сволочь редкая. Склизкий, как червяк, и подловить его непросто. Хотя пытались.

— Вы хотите сказать, что расстрел ваших друзей — дело рук милиции?

— Не той милиции, что ты имеешь в виду. Кто-то очень хитрый стоит за всем этим.

Я налила еще чаю и стала размешивать ложкой песок, ложка билась о тонкие фарфоровые стенки, противно звеня, а я этого не замечала.

— Вы знаете кто?

Он засмеялся:

— Нет. Я тебе больше скажу. Никто не знает.

— Вам не кажется это странным? — усомнилась я. — Конечно, я не специалист по криминалу, но здравая логика подсказывает: кому-то было выгодно это убийство, и после него этот человек заметно преуспел в делах.

— То-то и оно. Его нет. То есть никто не знает, что оно такое, где находится и с чем его едят.

— А пытались узнать?

— Само собой. Может, и узнавали, но донести до прочих эту радостную весть не успел никто, что-нибудь обязательно случалось по дороге.

— Но ведь это невероятно, — хмыкнула я, подумав: а что, если сидящий передо мной человек попросту псих?

Точно прочитав мои мысли, он ответил:

— Я не чокнутый... Пять лет назад в городе были две реальные силы. Для простоты назовем их стариками и молодежью. Стариков объединяло подобие закона, хлипкое единство — и все же... Молодняк старался каждый для себя. В целом соблюдалось равновесие, и никто не рисковал его нарушить. И вдруг этот расстрел. Тебе трудно представить, что это значило тогда... и что за человек мог отважиться на такое... А потом пошли вовсе чудные вещи: никто не понимал, что происходит. Людям звонили по телефону, объясняли, что они должны делать, а если они отказывались, то очень быстро умирали. За первые полгода погибли шестнадцать человек, это только из тех, кого я знаю, всякая мелочь не в счет. Еще семерых посадили — и всех по липовым обвинениям. Кто-то стряпал дела, как бабка блины в Масленицу...

— И не осталось никого, кто бы мог разобраться во всем этом? — подсказала я.

Он засмеялся громко и зло, посмотрел на меня и откинул плед в сторону.

— Я пытался.

Натолкнувшись взглядом на аккуратно сложенные пустые штанины пижамы, подколотые булавками, я поежилась, а он весело добавил:

— Мне повезло, так повезло, что и поверить трудно. Машина разлетелась на куски, четверых парней в окрошку, а я жив остался. До сих пор не могу поверить. Поневоле начнешь богу молиться.

— После этого вы больше не проявляли любопытства?

— После этого я стал пенсионером. Живу с внучатым племянником на даче, молоко пью, со старушками в лото играю, птичек слушаю и радуюсь жизни...

— А меня позвали, чтобы доброе дело сделать, предупредить: то, что я ищу, ужасно и опасно и оставит меня без головы.

Он опять засмеялся, но теперь уже тише и спокойнее.

— Я не такой добрый.

— Слава богу, — вздохнула я. Его рассказ произвел впечатление, но в нем не было никакого намека на происшествия той ночи, а именно это меня интересовало больше всего.

Мы помолчали, я выжидательно смотрела на хозяина, он улыбнулся и заявил:

— У тебя получится. Вот увидишь.

— Что получится? — не поняла я.

— Разобраться. Я людей нутром чую, у тебя

получится, можешь мне поверить. — Тут он возвысил голос и позвал: — Миша!

— Аудиенция окончена? — поинтересовалась я. В ответ он кивнул. — Слушайте. — Мне пришлось поторопиться. — Всему происходящему всегда есть логичное объяснение. Например, когда Илья оказался в тюрьме, хозяином в районе стал Мирон, значит...

— Ничего не значит, — развеселился Яков Васильевич. — Мирон пешка, которую кто-то ловко дергает за веревочки. Думаю, он сам точно не знает кто. Так же, как все остальные.

— Но вы ведь не думаете, что это Севка... я имею в виду Дерин, создал криминальную империю...

— Об этом ты у него поспрашивай, — перебил меня хозяин.

Миша бесшумно приблизился, и, кажется, мне ничего не оставалось, как встать и проститься. Что я и сделала.

Спускаясь по ступеням, я все-таки решилась и, повернувшись к хозяину дачи, спросила:

— Слушайте, какого черта меня сюда привезли?

Он опять улыбнулся, на этот раз улыбка вышла довольно подлой.

— Твой Илья возвращается, теперь начнется самое интересное.

— Что начнется? — испугалась я.

Он развел руками:

— Посмотрим. Что еще остается одинокому инвалиду.

— Умеете вы людям голову морочить, — вздохнула я, а он хихикнул и заявил:

— Я злопамятный инвалид. Очень злопамятный. И ошибаюсь редко. Если честно, я такого случая даже не помню.

— И что из всего этого я должна понять? — ахнула я.

— Ты поймешь, — заверил он и противно засмеялся.

— Ладно, если вам так хочется. Желаю выиграть сегодня вечером, — добавила я и торопливо пошла по тропинке, Миша ждал у калитки.

Мы молча прошествовали вдоль забора и оказались возле «Форда».

— Он нормальный мужик, — неожиданно заявил Миша.

— В смысле не псих? — усмехнулась я, а он ответил серьезно:

— В смысле неплохой человек.

— Тебе лучше знать, вы родственники... Давно он так? Я имею в виду, без ног?

— Четыре года, даже больше. В общем-то, он мне никакой не родственник, но мужик интересный, а главное — стоящий. — Тут он на меня посмотрел и спросил: — Зачем звал?

— Секрет, — усмехнулась я, а потом вздохнула и добавила: — Нет никакого секрета, просто я ничего не поняла. Разговор вышел затейливый и путаный.

— Это он может, — кивнул Миша. — Иной раз минут десять молотит языком, а ничего не скажет.

Я хохотнула, а Миша вроде бы обиделся и замолчал. Через некоторое время мы вернулись в город. Возле парка стояла моя машина, никакой охраны поблизости не наблюдалось, но выглядела она целехонькой, и повода возмущаться не было.

— Спасибо, — сказала я Мише, тут же подумав, что это, должно быть, выглядит глупо.

— Не за что, — ответил он. — Я же говорил, ничего не бойся.

Я хлопнула дверью и зашагала к своей машине, не удержалась и помахала Мише рукой на прощание. Он ответил тем же. А я поторопилась покинуть данное место.

Однако минут через пять передо мною возник вопрос: куда направиться? Домой не хотелось — там могли появиться Сашка, Лерка или Севка, чего доброго. А видеть сейчас кого-либо из них желания не было. Поколесив немного по узким улочкам, я решила покинуть город. Погода вполне подходящая, а чужая дачная жизнь вдохновила меня на загородную прогулку.

Через час я остановила машину на лесной полянке. Оказалась я здесь, свернув на проселочную дорогу с указателем «Кощеево, 5 км», но до неведомого Кощеева так и не доехала, заприметила едва заметную дорожку, уходящую в лес, и по ней направилась.

Открыла двери машины настежь, а сама легла в траву. Закинула руки за голову и стала разглядывать облака, из-за яркого солнца делать это было трудно даже в очках, пришлось сложить руки козырьком. Одно облако очень походило на бегемота, и я принялась наблюдать за ним. Бегемоты мне всегда нравились. Большие, толстые, добродушные, смешной нос, крохотные ушки. Как-то я прочитала, что животные эти весьма опасны и коварны, и очень возмутилась. Не бегемотами, а теми, кто это написал. Верить в такое не хотелось, вот я и не поверила... Облачный бегемот лишился трех лап (четвертой не было с самого начала) и вообще стал распадаться на куски, а я перевела взгляд на огромного голубя, он был больше бегемота и почему-то раздражал...

— Сукин сын, этот Яков Васильевич! — разозлилась я. — Однако для чего-то он меня нашел и мило болтал со мною почти целый час. Любитель ребусов. Он очень точно сравнил себя с пауком. Действительно паук, злой, хитрый, плетущий невидимую паутину... Ну его к черту! Завтра, максимум через два дня, вернется мой муж. Бывший. Может, для него бывший, а для меня — настоящий.

Я зажмурилась и попыталась представить нашу встречу. Я открываю дверь, он стоит, улыбается мне... Видение распалось на части, как бегемот из облака. Давай, подумай об этом пенсионере на хорошенькой дачке! Он вроде бы сделал комплимент твоим мозгам, и ты обязана разобраться... Да пошел он! Неужели Севка действительно продажная сволочь, работает на неведомого хозяина и хладнокровно подставил Илью? В конце концов, особой признательности к моему мужу он испытывать не должен, в свете событий нашей юности...

Трудно поверить, что человек так мастерски притворялся долгие годы. Копил злобу, готовился отомстить? Полнейшая чушь. Севка хорошо относился к Илье, более того, он относился к нему дружески. Хотя был сдержан, что неудивительно:

Илья числился в стане преступников, и с точки зрения профессиональной этики встречаться с ним Севке вообще не следовало.

— Не могу я в это поверить, — вроде бы пожаловалась я.

Сашка в данной истории тоже выглядит подозрительно. Очень злился из-за того, что я заинтересовалась расстрелом на Катинской... Правда, у него был повод злиться... это он так сказал. Возможно, Сашка отлично знает, кто устроил эту бойню, потому и не хотел, чтобы я совала туда свой нос... Допустим, все это учинил Севка. Вопрос: для кого? Он сам — во главе хорошо законспирированной криминальной группировки? Что его подвигло на это? Деньги? В настоящее время он снимает квартиру, правда, машина у него теперь вполне приличная... Какой прок от денег, если ты вынужден прятать от людских глаз свое богатство? Ходить каждый день на службу, с нетерпением ждать зарплаты, а дома выгребать из сундуков золото-бриллианты? Севка в роли миллионера Корейко? Что-нибудь глупее и вообразить невозможно. Он привык к линялым джинсам и стоптанным ботинкам, а от дорогого костюма его бросает в дрожь. Так было всегда... Нет, Корейко из Севки никудышный.

Есть еще власть... Она тем более приятна, что ты в тени, и большинство людей даже не подозревают о твоем могуществе. Особой властности в Севкиной натуре я тоже не замечала. Он всегда был простым, милым и, в общем-то, обыкновенным парнем. Правда, с чувством юмора. Однако жена, а уж кому знать человека, как не его жене, обвиняет его во всех смертных грехах... Когда женщина чувствует себя покинутой, она и не на такое способна.

От мудрых мыслей к действительности меня вернули комары. Солнце спряталось в облаках, и от них просто покоя не стало, пищали, лезли в уши и путались в волосах. Пришлось спасаться в машине, однако и там их было полным-полно. Я размахивала полотенцем, освобождаясь от нежданных гостей, потом на возможной при такой дороге скорости покинула полянку.

На шоссе комары оставили меня в покое, солнце выглянуло из-за облаков, но возвращаться в лес уже не хотелось.

Въехав в город, я стала выбирать место, где могла бы перекусить. Не то чтобы в городе наблюдался дефицит таких мест, просто я привередничала.

В конце концов я выбрала кафе «Атлантис», название показалось мне странным, и я решила взглянуть, что же это такое. Как выяснилось, зря. Кафе внутри выглядело забегаловкой средней руки с очень скверной кухней. Что такое этот самый «Атлантис», выяснить так и не удалось, официантка не знала, а приставать с вопросами к грозного вида парню, томящемуся за столом возле двери, я сочла неразумным.

За несъедобную дрянь в глиняном горшке с меня взяли немыслимые деньги. Может, в кафе решили, что я переодетый арабский шейх? Мучаясь этими мыслями, я брела к своей машине, правда, по сторонам поглядывала и кое-что увидела. Например, новенький белоснежный «Мерседес», который замер возле моей машины, точно крейсер, а из «Мерседеса», завидев меня, вышли два мальчика лет двадцати пяти. Смотрели они сурово, и как-то угадывалось, что у них ко мне дело. Несколько прохожих с любопытством обернулись и заспешили прочь. Спасаться бегством я сочла неразумным и неторопливо продолжила свой путь, при этом теряясь в догадках, откуда их черт принес, точнее, от кого?

Делая вид, что не обращаю на них внимания, я взялась за дверцу своей машины.

— Не торопись, — послышался мужской голос.

Я повернулась и в салоне «Мерседеса» сквозь распахнутую дверь увидела Мирона.

— Здравствуй, милый, — кивнула я.

— Здравствуй. — Он вроде бы хохотнул, но вышло это больше похожим на икоту. Белки его глаз покраснели, взгляд был мутным, и запах алкоголя доходил даже до меня. В общем, Мирон был здорово пьян. — Садись, — сказал он. — Прокатимся.

Я подумала и ответила:

— Нет.

Мирон вроде бы удивился, а парни заметно подобрались, правда, не испугали меня: вряд ли их хозяин решит вести себя невежливо.

— Садись, — настойчивее повторил он, а я усмехнулась:

— Если Илья узнает, что я с кем-то раскатываю на «Мерседесах», ему это может не понравиться.

— Ко мне он ревновать не будет, — хмыкнул Мирон, а я решила ему польстить:

— К тебе — особенно. Большим другом он тебя никогда не считал.

— Ну и как мы будем разговаривать? — Он пожал плечами. — Прикажешь орать на всю улицу?

— Зачем? Пересаживайся ко мне, ты вроде бы еще не старый и вполне способен приподняться.

Пока Мирон соображал, что на это ответить, я устроилась в своей машине на заднем сиденье, дверь предусмотрительно закрывать не стала. Вроде бы чертыхнувшись, он полез следом. Захлопнул дверь и посмотрел на меня. Не без удовольствия. Впрочем, к его взглядам я давно привыкла и особого внимания на них не обращала. Однако сейчас Мирон мне был чрезвычайно интересен, точнее, не он сам, а то, что он собирался сказать.

— Ехал мимо, увидел твою тачку, — немного посопев, заявил он.

— Да? — Я посмотрела на него внимательнее, он тяжело вздохнул и отвел взгляд.

— Он тебе не муж, — заявил Мирон совершенно неожиданно. — Давно уже.

— Не начинай все сначала, — поморщилась я.

Он собрался ответить резко и зло, брови сошлись у переносицы, но вдруг передумал.

— Ладно, — махнул он рукой. — Скажи-ка мне лучше, зачем ты к безногому ездила?

— К Якову Васильевичу? — уточнила я.

— К нему самому, — хмыкнул Мирон.

— В гости звал. Прислал мальчика. Обещал про убийство интересное рассказать, купилась, поехала.

— Про какое убийство? — не понял Мирон.

— Про то, за которое Илья срок отсидел.

Тут он поморщился:

— Все это сто лет назад было... А потом, с чего это он с тобой говорить решил?

— Это ты у него спроси.

— Ну и о чем болтали? Что он знает про это убийство?

— Он мне загадки загадывал, а потом и вовсе сказкой побаловал. Чудная сказка. Вроде бы пять лет назад перестрелял кто-то всю местную верхушку и власть к рукам прибрал, да так ловко, что по сию пору никто не знает, кому принадлежат эти руки. А те, кто на виду, — вроде кукол, которых он за веревочки дергает. Дернет — они руку поднимут или опустят. — В этом месте я замолчала, внимательно наблюдая за реакцией Мирона. Он стал мрачнее тучи, а я поспешила добавить: — В общем, разговор показался мне глупым. По крайней мере, ничего полезного я из него не узнала. Следовательно, потеряла время зря.

— А как он тебе объяснил, зачем позвал? — помолчав, спросил Мирон.

— А никак. Сказал, мстительный он очень, за свои ноги поквитаться хочет и с нетерпением ждет, когда вернется Илья.

— Вернется твой Илья, и что? Очень крутой, да? Его за веревочку не дернут? Как же... видали мы крутых... — Тут он запнулся на полуслове, а я вроде бы лишилась дара речи. Сидела очень тихо и боялась дышать. — Из ума выжил безногий, вот что! — рявкнул Мирон и полез из машины. — Так ему и передай, если увидишь.

— Нет уж, лучше ты сам, — покачала я головой.

Ни разу не взглянув в мою сторону, Мирон плюхнулся в свой «Мерседес», мальчики загрузились следом и вскоре отбыли, а я выдохнула воздух и прокомментировала:

— Не хило...

Удивляться было чему, судя по реакции Мирона, неведомый мне Яков Васильевич был прав: хорошо законспирированная группировка, заправляющая всем в городе, действительно существует. Выходит, зря я считала, что дядька мне сказки рассказывает.

И какую миссию, по его мнению, должен выполнить Илья? А что, если моему мужу известно, кто такой этот неведомый некто? Если я права, Илье грозит смертельная опасность.

— Черт! — буркнула я и еще раз пять повторила: — Черт! — стуча по рулю ладонью. Сообразительности от этого не прибавилось, а вот руке стало больно. Вздохнув, я поехала к дому, машинально следила за дорогой, мыслями унесясь очень далеко.

Как Мирон узнал, что я была в гостях у безногого? Следил за мной? Зачем Мирону за мной следить? Он трус, а не сегодня-завтра в город вернется Илья. Это сильно беспокоит Мирона, и он решил подстраховаться: для начала просто держать меня в поле зрения. Все это ужасно глупо, если учесть, что Илья меня бросил и ему совершенно наплевать на меня... Это я так думаю, а тот же Мирон может думать иначе. А что, если ему приказали за мной следить? Тот самый некто, боящийся разоблачения? Еще не легче... Кто это может быть? Впору гадать на кофейной гуще.

Ломая голову над подобными вопросами, я плохо соображала, куда еду, а сообразив, испуганно притормозила. Надо же... Что-то заставило меня свернуть с проспекта и оказаться здесь.

Окна нашей квартиры. Шторы во всех комнатах плотно сдвинуты, балкон... там, возле мусорных баков, стояла моя машина, а я таращилась в ночь, дрожа, точно в ознобе, вон у того окна. Войти? Что-то толкнуло в сердце. В самом деле... войти, взглянуть, коснуться руками знакомых вещей... ключ лежит в кармане. Я почти решилась, но в последнее мгновение передумала и торопливо выехала со двора.

Это больше не наша квартира, это квартира Ильи. Либо мы войдем туда вместе, либо я уже никогда не переступлю порог моего бывшего дома.

— Вот сейчас самое время зареветь, — зло хмыкнула я. — Когда черт знает что происходит вокруг и Илья, возможно, в опасности, очень кстати закатить истерику.

Присовокупив к этому еще несколько слов, не совсем пристойных, но доходчивых, я почувствовала себя успокоенной и до своего подъезда добралась без каких-либо происшествий.

На кухонном столе стояла чашка с остатками кофе, а на холодильнике магнитом приляпана записка: «Позвони немедленно».

— Что-то опять понадобилось любимому старшему брату, — вздохнула я и пошла звонить.

Сашка был в клубе и в сильном гневе, это стало ясно сразу.

— Ты где была? — рявкнул он.

— Когда? — Я решила прикинуться дурочкой. Событий сегодня было чересчур много, загадок и того больше, мой мозг со всем этим не справлялся, так что вполне естественной могла показаться некоторая тупость.

— Мне сказали, что ты ездила в гости на одну дачку.

— Кто сказал? — спросила я.

— Тот, кто любит знать все и при этом много болтает. Мне что, в подвал тебя посадить? Или держать связанной?

— Ни у тебя, ни у меня нет никакого подвала, — примирительно сообщила я. — А ездила я на дачу не по своей воле: звали настойчиво, не могла отказать. Он посулил сообщить кое-что интересное об убийстве...

— Ты же мне обещала?! — рявкнул Сашка. — Черт тебя дери!

Это показалось обидным.

— Спасибо, я тебя тоже люблю, — ответила я и повесила трубку.

Не успела я отдышаться и прийти в себя, как позвонил Севка.

— Не могу тебя застать, — пожаловался он. — То сидела взаперти, как принцесса из сказки, то порхаешь, точно мотылек.

— А что тебе нравится больше? — спросила я.

— Что мне нравится, то не сбудется. А почему голос усталый, с Сашкой скандалили?

— Ты-то откуда знаешь? — прикинулась я удивленной, на самом деле уже час назад перестав чему-либо удивляться.

— Он мне звонил. Очень беспокоился. Кто-то ему сказал, что ты отправилась с визитом к одному одинокому инвалиду, коротающему летний сезон на даче. Твой брат очень испугался, потому что этот дачник только с виду безобидный калека, а нутро у него волчье, и хлопот с ним ох как много!

— Какие же с ним хлопоты? — не поняла я.

— Хлопотные, — хохотнул Севка. — Ладно, ты жива-здорова, и это главное. Но брата все-таки следует слушать.

Пожелав мне всего доброго, Севка положил трубку, а я с неожиданной злостью подумала: «Тоже мне умник...» — а потом испугалась. Это я о давнем друге так? Господи, да я ведь действительно подозреваю его во всех мыслимых и немыслимых преступлениях. Не может быть...

— Надо выпить, — вслух посоветовала я самой себе и пошла в кухню. Коньяк отсутствовал. Облазив все шкафы, я смогла убедиться, что спиртного в доме нет. — Ну, надо же...

Я чуть было не отправилась за коньяком в магазин, но лень пересилила.

Вместо этого я устроилась на диване, закрыла глаза и попыталась думать. Не скажу, что выходило это особенно хорошо.

На следующий день около трех часов позвонил Сашка. Сказал отрывисто:

— Илья в городе.

— Что? — охнула я, испугавшись, что немедленно грохнусь в обморок.

— Где он?

— Здесь, в клубе.

— Я сейчас приеду, — вдруг начав заикаться, пролепетала я.

— Нет. — Голос брата звучал сурово, я мгновенно покрылась холодным потом. Собрав силы, произнесла:

— Он не хочет меня видеть?

— Нет.

— Ясно. — Не могу сказать, что это явилось для меня неожиданностью, напротив...

— Я не хочу, чтобы ты... в общем, не делай поспешных выводов. Я поговорю с ним и приеду к тебе. Ты поняла? Мы все обсудим. — Теперь голос брата звучал почти нежно, в нем появились просительные интонации. — Ты все поняла? — повторил Сашка.

— Конечно, — ответила я, бросила трубку, сползла на пол и жалко всхлипнула. — Он не хочет меня видеть, — выдавила я из себя с отчаянием.

«Точно, — шевельнулось в душе что-то очень ядовитое, — самое время закатить истерику. Можно схватить его фотографию, прижать ее к груди и прыгнуть с лоджии. А что? Вполне романтично. Илья придет на твою могилу, смахнет слезу и шепнет: «Зачем ты это сделала?» Далее крупный план: солнце садится за горизонтом, Илья в нашей, когда-то общей квартире стоит с моей фотографией, потом направляется к двери на балкон, но что-то его удерживает, он смотрит вдаль, а на его лице появляется надежда. После того как надежде уже некуда деваться, встает солнце, а вслед за ним крупные буквы во весь экран: «КОНЕЦ», лучше на английском, они такое дерьмо делают мастерски». Мне стало смешно, а потом стыдно.

— Подумаешь, — проронила я, поднимаясь и пожимая плечами. — Мечтать не вредно.

Прошла в ванную и уставилась в зеркало. Лицо выглядело немного испуганным, особых надежд в нем не читалось, но до прыжков с балкона было все-таки далеко.

— Илья в городе, — напомнила я себе. — Илья в городе, и я его увижу. Это уж точно!

Через десять минут я была готова ко всему на свете: встрече с любимым, который не желал меня видеть, землетрясению, объявлению войны на всем континенте и черт знает чему еще... в общем, я была готова. Села в машину и отправилась в клуб.

Центральная дверь заперта, я подергала, позвонила и даже грохнула по ней ногой — без толку. На стоянке красовался Сашкин «БМВ», а рядом «Лендровер», весь заляпанный грязью, так что номер разобрать невозможно, в нем сидели двое ребят и наблюдали. В настоящее время за мной, однако никак не реагировали.

Плюнув с досады, я направилась к боковой двери. Она тоже была заперта. Вновь пришлось звонить, а потом и стучать.

— Кто? — резко спросил из-за двери мужской голос.

— Откройте, мне нужен мой брат.

— Его здесь нет.

— Что ты мне голову морочишь? — разозлилась я. — Его машина на стоянке.

— Ну и что, — вздохнул тип за дверью. — Машина здесь, а его нет. Уехал двадцать минут назад.

— Куда?

— А мне не докладывают. Человек я маленький. Теперь все?

— А почему бы, маленький человек, тебе не открыть дверь, чтоб я сама убедилась в том, что Сашки там нет?

— А зачем? Моего слова вполне достаточно: я никогда не вру.

— Здорово, — подивилась я, а потом добавила: — В общем, так, передай моему братцу: если он через две минуты не откроет дверь, я здесь все окна разнесу к чертям собачьим, в одно из них непременно влезу, а потом выцарапаю ему глаза. Иди передай, а я тут подожду и присмотрю кирпич побольше.

Он ничего не ответил, я прислушалась: тяжело ступая, парень удалялся по коридору.

Очень сомнительно, что Сашка проявит твердость, но пару крупных камней я успела заметить и удовлетворенно кивнула. Тут вновь послышались шаги, дверь распахнулась. Парень в пестрой рубашке взирал на меня явно неодобрительно.

— Чего б тебе не поехать на пляж? — спросил он.

— Утопиться? — попробовала пошутить я, он в ответ криво усмехнулся и посторонился, что дало мне возможность проскользнуть в дверь. Парень тут же ее запер.

Пока я шла по коридорам, успела кое-что заметить. В клубе, несмотря на раннее время, было полно народу, причем отнюдь не обычных посетителей. Бравые ребята чинно сидели в баре с бутылками минеральной, тут и там расхаживали здоровячки, провожая нас колючими взглядами, а в целом все выглядели очень воинственно.

— Надо полагать, мой визит не ко времени, — наконец сообразила я, но отступать было поздно.

На мгновение я задержалась перед дверью Сашкиного кабинета, потом решительно ее распахнула.

Илья сидел за столом, там, где обычно садился мой брат. Услышав шум, поднял голову и посмотрел на меня. Вроде бы я все-таки сделала пару шагов, потом бессильно привалилась к стене. Илья выжидающе смотрел исподлобья, затем нахмурился и отвел взгляд.

Тут я заметила остальных находившихся в комнате. Сашка стоял у окна, спиной ко мне, и что-то увлеченно разглядывал, потому что оборачиваться не собирался. За столом, рядом с Ильей, сидел Кирилл, устремив взгляд в пол.

— Я не могла не приехать, — промямлила я, точно оправдываясь. Сделала шаг к столу, но тут же замерла. — Почему бы нам не поговорить? — прошептала я, попыталась сделать еще один шаг и не смогла: взгляд Ильи приковал меня к месту, точно в ноги мне вогнали здоровенные гвозди. Не знала я, что мой муж умеет так смотреть.

— Саша, — позвал он. — Объясни своей сестре, пожалуйста... — Голос его звучал тихо и как-то устало.

Сашка резко повернулся, полоснул Илью взглядом, потом направился ко мне.

— Я вроде бы просил тебя... — начал он резко, схватил меня за плечо и легонько подтолкнул к двери. — Ты можешь послушать своего брата и сделать хоть что-то так, как нужно?

Я сбросила с плеча его руку и позвала:

— Илья! — Вышло это отчаянно.

Он вздохнул и сказал:

— Твой брат прав, послушай его совета. — А потом добавил: — Обещаю, мы с тобой поговорим. Дай мне время. Теперь все, иди.

Сашка распахнул передо мной дверь, я уже хотела выйти, но неожиданно для себя пнула дверь ногой, она с треском закрылась, а я в три шага достигла стола.

— Ты не имеешь права так вести себя! — выкрикнула я, глядя в глаза бывшему мужу. — Я этого не заслужила. Ни тогда, ни сейчас. Что бы ты там обо мне ни думал, я всегда тебя любила и была верна тебе.

— Давай без истерик, — спокойно сказал он. — Ты ждала пять лет. Что такое несколько дней в сравнении с этим сроком? Когда я буду готов к разговору, я приеду. Идет?

Мы смотрели в глаза друг другу. Наверное, это длилось довольно долго. Кирилл поежился и вроде бы стал меньше ростом, Сашка с хрипом перевел дыхание и сказал:

— Илья, может...

— Заткнись! — повысил тот голос, а я дернулась в сторону, налетела на брата, он хотел подхватить меня, я его толкнула и бросилась вон из кабинета.

Видно, Сашка пытался догнать меня, потому что Илья крикнул:

— Вернись! — а Сашка торопливо попросил меня:

— Я скоро приеду, отправляйся домой...

Дверь предусмотрительно распахнули, и я оказалась на улице.

Подскочила к своей машине, нервно зашарила в сумке в поисках ключей, потом грохнула кулаком по капоту один раз, другой, взвизгнула от боли, задев что-то острое и поранив ладонь. Кровь стекала по руке, а я не знала, что делать, стояла и пялила глаза и только через минуту сообразила замотать ладонь носовым платком.

Платье, дверь машины и сумка к этому моменту были в пятнах крови.

— Полное дерьмо, — хмыкнула я, села, завела мотор и поехала в сторону своего дома. — Вот тебе и встреча! — возвестила я громко и даже хохотнула. — Это не мечты, мать твою, это суровая действительность... Господи, что происходит? Почему он так себя ведет? Что такого я должна была совершить, чтобы Илья вел себя подобным образом? Чтобы так смотрел на меня? Невероятно, но он меня ненавидит. За что, господи? За что он может так меня ненавидеть? Что, черт возьми, произошло тогда? Вот именно, что? Кто-нибудь знает ответ на этот вопрос? Илья знает... Илья...

Забыв запереть машину, я поднялась к себе и бросилась в ванную, сунула руку под холодную воду, повторяя непрерывно:

— Черт, черт, черт! — и совершенно не понимая, к чему это относится. Кое-как перевязала руку и устроилась на краю ванны. — Хорошо бы успокоиться, — посоветовала я самой себе. — Успокоиться и решить. Что? Откуда мне знать? Например: как жить дальше, как заставить Илью поговорить со мной? Заставить Илью? — Я фыркнула и покачала головой. — Ну, ладно. Просто, как жить до того момента, когда он наконец решит мне все объяснить? И почему к нашему разговору ему надо готовиться? Как, интересно? Набраться мужества, чтобы сказать мне... Что? Вот именно... Опять все то же «что?». Вот сейчас приедет любимый старший брат и все объяснит... Как бы не так! Любимый старший брат начнет утешать меня и посоветует терпеливо ждать. Вот уж что совершенно не хочется видеть в настоящий момент, так это его родное заботливое лицо.

— К черту всех, — кивнула я, переоделась и направилась в ближайший магазин, купила коньяк, сразу две бутылки и, трепетно прижимая их к груди, вернулась в квартиру. — Старший брат приедет, но разговаривать со мной не сможет, — злорадно решила я, торопливо налила полстакана и залпом выпила, потом налила еще, взглянула, поморщилась и отставила стакан в сторону.

Прошла в комнату и легла на диван.

— Ждали, ждали и дождались! — сказала я громко, закрыла глаза, стиснула рот ладонями и заревела. Перевернулась на живот, сунула голову под подушку и ревела до тех пор, пока не уснула.

Сон был путаным и кровавым. Странное место, то ли алтарь, то ли постель, я иду со связанными руками, кто-то толкает меня в спину. Все-таки это постель. При моем приближении с нее поднимается огромная птица, машет крыльями и норовит ударить меня в лицо. Наконец птица исчезает, а я валюсь без сил и тут же кричу в ужасе: постель залита кровью. Кровь везде: на стенах, на каменном полу, я сама вся в крови. Бегу куда-то, кричу изо всех сил, но крик застревает в горле, и я с ужасом понимаю, что меня никто не слышит, никто...

Пробуждение не сулило ничего хорошего, я сразу же вспомнила, что Илья вернулся и не хочет меня видеть. Я отправилась в кухню, выпила, прихватила бутылку в комнату и снова легла на диван. Мимоходом взглянула на часы, оказывается, спала я очень недолго. Странно, что спасательная команда в лице моего брата до сих пор отсутствует. Что-то чрезвычайное удерживает его в клубе.

— Вот и отлично, — кивнула я, прихлебывая прямо из горлышка. Навыков пить коньяк таким образом у меня не было, я закашлялась и долго не могла успокоиться. — Чертово пойло! — выругалась я зло и хотела отшвырнуть бутылку, но в последний момент опомнилась и выпила еще, правда, уже из стакана. Потом уставилась на фотографию. — Ты не желаешь со мной разговаривать, — начала я укоризненно. — А почему, интересно? Ты не хочешь, и мы не говорим, всегда ты. Ты, ты, ты, а где я? Вот именно, где я? Я хочу говорить. Возможно, ты не хочешь, а я хочу, и ты мне все скажешь.

Когда эта мысль прочно утвердилась в моем мозгу, я начала собираться. Сборы в основном свелись к поиску ключей от машины. В конце концов я смогла их обнаружить и, хватаясь за перила, покинула подъезд. Путь показался мне долгим, я пару раз споткнулась и даже выругалась, но в конце концов села за руль.

Дорога совершенно не запечатлелась в моей памяти, помню только, что одним колесом въехала на тротуар, меня тряхнуло, я с удивлением огляделась и поняла, что нахожусь прямо против клуба. Я обрадовалась и пошла к дверям, на этот раз они не были запертыми. Рослый парень посмотрел на меня с удивлением и сделал шаг навстречу.

— Все нормально, — улыбнулась я. — Мне нужен мой брат, — и направилась по коридору. Кажется, на меня обращали внимание. — Плевать, — махнула я рукой и в конце концов смогла добраться до Сашкиного кабинета.

Дверь оказалась запертой. Я стала стучать кулаком, а потом ногами и умудрилась собрать вокруг себя целую толпу.

Наконец меня ухватил за руку какой-то парень и начал объяснять, что Сашки в клубе нет, уехал вместе с Ильей и Кириллом.

— Нет? — пьяно хохотнула я, потом что-то опрокинула и направилась к выходу.

Один из охранников пытался остановить такси, а заодно отобрать у меня ключи от моей машины. Ни то, ни другое ему не удалось, я загрузилась в свою «девятку», бросила:

— К черту! — и куда-то поехала.

В голове все перепуталось, я уже не знала, с кем хотела поговорить: с Сашкой или с Ильей.

— Я имею право знать, — твердила я и в подтверждение кивала. — Кто-нибудь скажет мне, что происходит? Кто-нибудь должен это знать.

Тут я сообразила, что город остался позади, а я сворачиваю с шоссе на проселочную дорогу. Осознав, куда направляюсь, я вроде бы порадовалась. Решение приехать сюда и задать свои вопросы, показалось очень умным.

— Этот тип все знает, — заявила я. — И он мне все выложит. Все.

Я проскочила нужный поворот и выехала не к воротам, где в прошлый раз мы с Мишей оставляли «Форд», а на центральную улицу поселка. Все дома казались одинаковыми.

— Давай, сосредоточься, — посоветовала я себе, сбросила скорость и вскоре оказалась возле нужной мне дачи.

Затормозила и дважды посигналила. Потом еще раз. Никто не спешил увидеться со мной.

— Так, торжественной встречи не получилось, — распахнув дверь, заметила я, задела ногой за что-то и выпала из машины. Это показалось мне забавным, и я засмеялась. — Точно, не вышло торжественной встречи, — заключила я и побрела к дому.

Калитка не заперта, но на крыльцо никто не вышел, а я произвела достаточно шума, чтобы хозяева наконец сообразили: у них гости.

— Черт возьми, где вас носит?! — заорала я и поднялась на крыльцо. Дверь под моей тяжестью распахнулась, и я оказалась в прихожей. Дом точно вымер. Тишина. Я опять налетела на что-то и от души выругалась. Торопливо покинула дом и вышла на веранду. Она была пуста. — Эй, хозяева! — позвала я, почему-то пугаясь. — Есть кто дома?

Допустим, Миша мог куда-то отлучиться, но безногий Яков Васильевич вряд ли где-нибудь прогуливается... хотя мне его привычки неизвестны.

— Сегодня никто не хочет говорить со мной, — обиделась я и покинула дом, возле калитки опять оглянулась и позвала: — Эй, кто-нибудь, ответьте мне...

— Что вы кричите, точно в лесу? — услышала я вопрос. Женщина лет шестидесяти стояла под окнами дома со стороны улицы и неодобрительно меня разглядывала, я смогла это обнаружить, немного сфокусировав зрение.

— Хозяева где? — спросила я и вроде бы икнула.

— А где ж им быть, наверное, дома.

— Нет. Я стучала и звала, никто не откликнулся.

На крыльцо соседнего дома вышла женщина.

— Семеновна, ты Мишу видела? — обратилась к ней моя собеседница.

— Когда?

— Да вот хоть сейчас.

— Нет. Утром видела, за молоком приходил. А чего?

— Девушка хозяев спрашивает, а никого нет.

— Как нет? А Васильич?

— Не знаю, говорит, нет.

— Может, отдыхает? А Миша уехал куда...

— На чем уехал? Вон машина-то ихняя. Стоит под навесом.

Вслушиваясь в этот диалог, я начала быстро трезветь. Когда женщины исчерпали возможные варианты отсутствия хозяев, я попросила:

— Давайте посмотрим в доме, вдруг Якову Васильевичу стало плохо?

Женщины забеспокоились, и мы вместе вошли в дом, после чего разделились. Одна поднялась на второй этаж, другая отправилась в кухню, а я на веранду. Обе время от времени звали:

— Васильич, Миша...

Никто не откликнулся. Тут нечто привлекло мое внимание: блеснуло в кустах роз. Я сделала пару шагов, осторожно приподняла ветки и увидела инвалидное кресло. Оно валялось возле забора.

Мороз пошел по коже, я нервно поежилась, сзади подошли женщины, они тоже заметили кресло.

— Это что же такое? — растерянно прошептала одна. — А где ж?..

Договорить она не успела, мой взгляд выхватил покатую крышу то ли сарая, то ли погреба, и я торопливо направилась к нему. Трава вокруг притоптана, точно в этом месте проехала машина.

Пристройка оказалась угольным сараем. Ухватившись за ручку, я потянула на себя дверь и заглянула внутрь, слыша за своей спиной дыхание спешащих женщин.

В сарае было темно, и в первое мгновение я ничего не поняла, последние лучи солнца высветили кучу угля в дальнем углу, женщины вдруг закричали, а я сообразила, что вижу торчащую из угля руку. Грязную, окровавленную, с металлическим браслетом на запястье.

— Да что ж это, господи? — пролепетала женщина рядом, потом крикнула: — Люди! — и кинулась к калитке.

А я отошла к забору и вцепилась в него обеими руками. Несколько минут меня рвало, я пыталась отдышаться, а что происходит вокруг, понимала с трудом.

Когда я наконец начала соображать, народу в саду собралось много. Расталкивая толпу, к сараю протиснулся милиционер в расстегнутом кителе и заломленной на затылок фуражке, видимо участковый.

— Граждане, соблюдайте спокойствие! — раз пять повторил он.

Я отошла от забора и присоединилась к толпе. Вновь прибывшие пытались узнать, в чем дело, им охотно поясняли:

— Убитые, оба, и Васильич, и племянник. Убили и в уголь сунули. Вот что делается... Как жить, господи? Кому инвалид помешал?.. Да у него деньжищ миллионы... Откуда, он ведь на пенсии? На пенсии, бандюга он... А парнишку за что? Такой был хороший парнишка, приветливый... В «Скорую» звонили?.. Какая «Скорая», сейчас следователи приедут, убийство ведь.

Последняя реплика привела меня в чувство. Надо убираться отсюда. Кто я и что здесь делаю, объяснить будет затруднительно, а тут два трупа, и от меня за версту разит коньяком. Стараясь не привлекать к себе внимания, я покинула сад, вышла через калитку и бросилась к машине. Народ все прибывал, люди бежали со всех сторон, а до меня никому не было дела. Я торопливо завела мотор и покинула поселок, нервно поглядывая в зеркало. Ни погони, ни криков «держите!».

Только оказавшись в городе, я притормозила и, кажется, всхлипнула:

— Господи...

Дома сунула голову под холодный душ, потом забралась под него целиком, дрожала всем телом, стискивала зубы и пыталась прийти в себя.

«Что происходит?» — билось в мозгу, но ответить на этот вопрос я не могла. Было еще несколько вопросов, но и на них я не знала ответа, закуталась в махровый халат, кое-как добралась до постели и рухнула лицом вниз.

Звонок отдавался в мозгу, сводя меня с ума. Я подняла голову с подушки, силясь понять, где я и что происходит. Угольный сарай и торчащая рука — это пьяный кошмар или все было в действительности?

Я тряхнула головой и стала искать сигареты. И тут сообразила, что в дверь звонят, давно и настойчиво.

Шаркая ногами, пошла открывать. На пороге стоял любимый старший брат и выглядел очень испуганным.

— Что у тебя с замком? — рявкнул он. — Не мог открыть своим ключом...

— Понятия не имею, — ответила я и скрылась в ванной. Когда я оттуда вышла, Сашка успел приготовить кофе и теперь сидел за столом, нерешительно мне улыбаясь.

— Я заезжал вчера, — сообщил он.

— Я к тебе тоже...

— Мне сообщили...

— Надо думать. — В этом месте я усмехнулась и стала смотреть в окно, избегая Сашкиного взгляда. Сейчас он напоминал мне побитую собаку и здорово действовал на нервы. — Надеюсь, я не нанесла твоему заведению ощутимый урон? — вздохнула я.

— Все нормально.

— Серьезно? — Это показалось забавным. — Ты так считаешь?

— Я говорю не об Илье, — пожал он плечами. — Хотя и здесь не вижу повода впадать в отчаяние. Он обещал потолковать с тобой. Я уверен, вы сможете во всем разобраться.

— Ладно, утешитель, — фыркнула я. — Вчера я переборщила с коньяком, похмеляться не собираюсь, если ты об этом, и нянька мне не нужна. Тебе он что-нибудь пожелал сказать?

— Нет, — покачал головой мой брат. — Такое впечатление, что он ждет чего-то.

— Чего? — насторожилась я.

— Не знаю.

— А как обстановка в городе?

— В каком смысле? — удивился Сашка.

— С возвращением Ильи что-нибудь изменилось?

— Чепуха... Что может измениться? Мы уже говорили об этом.

— Точно. Говорили. Еще я говорила с человеком по имени Яков Васильевич, и он обещал перемены с появлением Ильи. Выходит, ты знаешь далеко не все.

— Какой еще Яков Васильевич?

— Безногий, — охотно пояснила я. — Бывший друг Терина, носившего кличку Большой.

— Опять ты об этом, — поморщился Сашка.

— Об этом, — согласно кивнула я и добавила: — Его убили.

— Кого? Безногого?

— Да. И его, и Мишу, парня, который жил с ним.

— Откуда ты знаешь? — нахмурился Сашка. — Вчера вечером ты ездила на их дачу?

— Ездила, — вздохнула я. — И нашла обоих в угольном сарае. Что такого знал человек, если его решили убить? Одинокого безногого инвалида?

— Ты меня спрашиваешь? — хмыкнул он. — Так скажу честно: не знаю и знать не хочу. В милицию звонила?

— По поводу убийства? Нет, соседи вызвали.

— Но они с тобой беседовали?

— Менты? Нет, я уехала. Народу сбежалось... весь поселок. А я была в стельку пьяная и не хотела иметь дело с властями... хотя и протрезвела после того, как заглянула в сарай.

— Аська, давай-ка я тебя на курорт отправлю, пока здесь все не кончится. Чтоб у меня душа не болела. Третью неделю как на бочке с порохом. Человек я тебе не чужой, сделай одолжение, исчезни дней на десять. А вернешься, тебя будет ожидать приятный сюрприз. Вот увидишь... — говорил он вроде бы серьезно.

— Приятный сюрприз в том смысле, что Илья скажет мне: «Я тебя люблю, дорогая»?

— А почему бы и нет?

— Ты сам-то веришь в это? — пожала плечами я.

— Мне не нравится твое настроение, — нахмурился он.

— Бог с ним, с настроением. Скажи лучше, что именно должно кончиться?

— Я не понял, — еще больше нахмурился Сашка, а я засмеялась:

— Ты сам только что сказал: «Пока здесь все не кончится». Что такое должно кончиться, Саша?

— Не цепляйся к словам, — разозлился он. — Я имею в виду, пока не выяснится все с Ильей, что же еще?

— А что мешает все выяснить прямо сейчас?

— Илья не желает говорить на эту тему.

— А через десять дней пожелает?

— Слушай, что за черт в тебя вселился?

— Саша, что происходит? — посерьезнев, спросила я.

Он взглянул на меня в упор, зло поджал губы.

— Что? — повторила я свой вопрос, Сашка криво усмехнулся.

— Я хочу, чтобы моя сестра мне верила...

— Теперь это трудно, — ответила я и выдержала его взгляд. — Или мы поговорим, или...

— Или? — повторил он, а я пожала плечами:

— Не могу ничего обещать тебе...

— Ясно. — Он поднялся и пошел к двери. — Очень скоро тебе станет стыдно, но, чтобы угрызения совести тебя не слишком мучили, я говорю прямо сейчас: я тебя люблю и потому прощаю. Постарайся вести себя разумно, — заключил он и покинул квартиру.

А я вышла на лоджию посмотреть, как брат садится в машину.

— Я тоже тебя люблю, — проронила грустно себе под нос.

До обеда я бродила по квартире, пытаясь собрать обрывки сведений воедино. Кровь льется рекой, а ответа на свой вопрос, что произошло пять лет назад, я так и не получила.

После обеда я поехала в «Красный Крест» навестить Гаврилова. О его самочувствии я регулярно справлялась по телефону и знала, что дела его неплохи, он пришел в себя и опасаться за его жизнь причин не было. Однако теперь я так не считала.

Я поднялась на второй этаж в отделение и в коридоре столкнулась с Варварой.

— Здравствуйте, — обрадовалась мне девушка. — Вы пришли навестить Александра?

— Если можно...

— Думаю, можно. Он про вас спрашивал. Я хотела позвонить, но он не мог вспомнить ваш номер телефона, я нашла по справочнику, но там никто не ответил.

— В справочнике телефон квартиры моего мужа, я не живу там уже пять лет. У меня своя квартира на Гоголя.

— Понятно.... Идемте. Я так рада вас видеть, если бы не вы, я тогда с ума сошла бы, наверное. — Девушка бодро шагала рядом и выглядела прямо-таки счастливой. Думаю, не встреча со мной так воодушевляла ее, значит, дела Гаврилова были явно неплохи.

В палате он лежал один. Лицо на фоне подушки необычайно бледное, даже голубоватое. Глаза прикрыты. Услышав шум, Гаврилов открыл глаза и попытался приподнять голову. Я подошла ближе и улыбнулась:

— Привет.

Он кивнул и сделал слабую попытку улыбнуться в ответ. Я придвинула стул ближе к постели и села, Варя устроилась на подоконнике.

— Как дела, не спрашиваю, вижу, держишься молодцом.

— Ага. Варвара, — позвал он. — Сходи-ка позвони Акимову, мне с ним поговорить нужно, пусть приедет.

— Пойду Асю провожать и позвоню.

— Нет, сейчас. Позже его дома не застанешь.

Надув губы, Варвара вышла. Дождавшись, когда за нею закроется дверь, Гаврилов перевел взгляд на меня и спросил:

— Илья в городе?

— Да.

— Вы виделись?

— Да.

— И что?

— Он не пожелал говорить со мной, а тем более что-то объяснять...

— Ясно. — Гаврилов облизнул губы, а я спросила:

— Тебя это не удивляет?

— Не удивляет. Слушай, Илье грозит опасность. Передай... я не знаю, как это объяснить, но ему опасно здесь находиться.

— Ты знаешь, кто убил Андрея?

— Разумеется, если лежу здесь. — Он усмехнулся и вроде бы покачал головой. — А вот Наташа не знала, то есть она видела этого человека, но не знала, кто он, и погибла, а мне повезло.

— Кто же он? — спросила я.

Гаврилов прикрыл глаза, вздохнул и тихо произнес:

— Не скажу. Тебе. Может быть, твоему мужу, когда смогу отсюда выбраться. Если честно, я не уверен, что вообще должен говорить об этом. Пожалуй, лучше молчать, лучше для всех нас.

— Молчать — твое право. Если бы не вопросы, с которыми я приставала ко всем, в том числе к тебе, ты занимался бы сейчас своей живописью, а не валялся здесь...

— Ты хотела узнать правду, это можно понять... Только цена за правду иногда так высока, что способна свести с ума. Скажи, кому нужна такая правда?

— Не знаю. В настоящий момент я соображаю туго, но одно могу сказать точно: кто-то идет по моему следу за мной, оставляя на этом пути трупы. Может, он псих, а может, ставки так высоки, но боюсь, что он не успокоится.

Дверь открылась, и в палату вошла Варя, я поднялась и направилась к ней.

— Откуда можно позвонить?

— Идемте, я покажу.

Мы шли по коридору, я взяла ее за руку и неторопливо заговорила:

— Варя, Александра нельзя оставлять одного.

— Да я почти всегда рядом, ухожу только на ночь.

— Вы не поняли. Его опасно оставлять одного.

Она вздрогнула и остановилась, глядя испуганно и растерянно.

— У вас есть друзья, которые могли бы помочь? Надо организовать круглосуточное дежурство и ни на секунду не покидать палату. Туалет там есть, так что выходить не придется.

— Если... если вы думаете... — пролепетала девушка. — Его хотят убить, да?

— А разве не пытались?

— Это же совсем другое, какой-то псих на стоянке, а здесь больница.

— Псих может появиться и здесь.

— Тогда нужно обратиться в милицию!

— В милицию я обязательно позвоню, а вы подумайте, к кому из друзей можете позвонить вы.

Она пошла к телефону, а я вернулась в палату. Следующий час прошел в разговорах и инструкциях, круглосуточное дежурство было организовано, и я понемногу успокоилась, хотя и не до конца.

Покинув больницу, позвонила Севке, однако на работе его не оказалось: у него умерла бабушка, и он уехал на похороны в Житомир. Наличие у Севки бабушки в Житомире смутило меня, и я отправилась к нему домой, зная, что там он не живет, снимает где-то квартиру, но надеялась застать Надю. И не ошиблась.

— Проходи, — сказала она без улыбки.

— Я на секунду. У тебя есть Севкин адрес?

— Нет, только телефон. А что случилось?

— У него умерла бабушка, хочу сообщить ему об этом.

— Что ты болтаешь, какая бабушка?

— Из Житомира.

— Она умерла, когда мы только поженились.

— И все же он отпросился с работы именно по этой причине.

— Так бы сразу и сказала. Для Севки подобное вранье — обычное дело. Еще и справку представит. Записывай номер, а позвонить можешь от меня.

— Спасибо, я из автомата.

Я уже спускалась по лестнице, когда Надя облокотилась на перила и неожиданно сказала:

— Ася, поосторожней... пожалуйста.

Завидев телефон-автомат, я бросилась к нему и набрала номер. Трубку сняли сразу, женский голос вежливо произнес:

— Что вам угодно?

Это сбило меня с толку.

— Будьте добры Всеволода Павловича, — попросила я.

— А кто его спрашивает?

Севка что, секретаршу завел?

— Ася Верховцева, он мне очень нужен...

— Привет, — буркнул Севка. — Я тут малость загулял, на работу нос не показываю, поэтому конспирацию соблюдаю, так что не удивляйся.

— Ты загулял? — хохотнула я. — Ни в жизнь не поверю.

— Времена меняются, — вздохнул Севка. — Что у тебя случилось?

— У меня ничего. С другом несчастье, лежит в больнице с ножевым ранением. Какой-то псих ударил ножом, просто подошел и ударил.

— Полно придурков... Это твой художник... Гаврилов, кажется? Сашка рассказывал. Ну и что с ним?

— С ним все в порядке. Идет на поправку, врачи в скором времени обещают поставить на ноги. Его друзья организовали в палате круглосуточное дежурство, к тому же у Гаврилова много родственников, скоропостижно кремировать его не удастся.

— Что, черт тебя дери, ты несешь?! — рявкнул Севка.

— Что — не важно, важно, чтобы ты понял. А ты понял. Верно, друг моей юности?

Я повесила трубку и зашагала к машине.

Серебристый «Фиат» осторожно свернул за угол и притормозил, а я усмехнулась.

— Давайте, ребята, — сказала я вслух и, поудобнее устроившись за рулем своей машины, принялась колесить по городу. «Фиат» следовал за мной, не очень беспокоясь о том, чтобы не бросаться в глаза.

Стекла машины были темными, и лицо водителя я видеть не могла, впрочем, вряд ли мы были знакомы. Заметив телефон, я опять остановилась. Руки противно дрожали, когда я набирала номер, а потом услышала голос Ильи:

— Слушаю.

— Пожалуйста, не бросай трубку, — попросила я. — Я просто хотела предупредить. Тебе небезопасно в городе, и я не одна так считаю.

— Я хочу, чтобы ты уехала, на пару недель. Ясно? Немедленно, сегодня же.

— У меня другие планы, — сказала я и побежала к машине.

А потом направилась к торговому центру «Восточный». Серебристый «Фиат» висел на хвосте.

— Какой настырный мальчик, — усмехнулась я и свернула на стоянку, а через пару минут вошла в универмаг, пристроилась у окна и попробовала обнаружить «Фиат». Он замер неподалеку от моей «девятки». Время шло, а парень не появлялся. Выходит, он умнее, чем я думала. А что, если он очень умный и сразу же последовал за мной в универмаг, а теперь наблюдает откуда-то из-за спины и ухмыляется? — Ладно, умник, еще немного поиграем, — решила я и направилась в секцию дамского белья. Выглядеть здесь незаметным мужчине будет нелегко.

Я не торопясь дошла до противоположной стены и стала разглядывать пеньюар, делая вид, что он меня чрезвычайно занимает. Бросила беглый взгляд вокруг: одни женщины, а из соседней секции увидеть меня невозможно. Очень хорошо. Заметив, что обе продавщицы заняты клиентками, я юркнула за тяжелую портьеру и оказалась в подсобке.

«Вот будет номер, если меня сейчас поймают», — мысленно покачала я головой. На счастье, подсобка была пуста, и в ней имелась дверь, выходящая в коридор.

Здесь я почувствовала себя более уверенно, по крайней мере, смогу что-то соврать: пришла, мол, устраиваться на работу и все такое...

Слева показалась лестница, я перегнулась через перила и увидела, что снизу поднимается охранник... вот черт... ускорила шаги, стараясь не стучать каблуками, один коридор сменил другой, закончился он большим щитом. Я выглянула из-за него, а потом протиснулась сама и оказалась в секции женской обуви. Насколько я помнила, располагается она довольно далеко от дамского белья.

Это меня воодушевило, и, сдерживая нетерпение, я устремилась к выходу из универмага. Нырнула в сторону и оказалась за деревьями. Используя всевозможные прикрытия, пробралась ближе к «Фиату». Тут и появился его хозяин, запыхавшийся, злой, взглянул на мою «девятку», немного успокоился и сел в свою машину. Бегом преодолев разделявшее нас расстояние, я дернула ручку двери, сказала:

— Привет, — и села рядом с ним. Кирилл повернулся и вдруг засмеялся, после чего ответил:

— Привет. Ловко, ничего не скажешь.

То, что я вижу перед собой бармена из Сашкиного клуба, должно было меня удивить, но не удивляло. Если так пойдет дальше, я вовсе потеряю способность удивляться.

— У тебя ко мне личный интерес или Сашка послал? — спросила я.

— Личный, — хмыкнул он.

— И чем я тебе так интересна?

— Ну... ты мне нравишься. Красивая женщина и все такое.

— Вчера ты сидел в кабинете рядом с моим мужем.

— Да? А я думал, вы развелись.

— Час от часу не легче. Значит, ты... как бы это выразиться... пытаешь счастья?

— Точно. Могу пригласить тебя в ресторан.

— Да неужели? — ахнула я. — А в какой?

— Ну... какой тебе больше нравится?

— Итальянский. Я там ни разу не была. Что ж, поехали.

— Ты... это серьезно? — Он вроде бы удивился.

— Конечно. Я тебе нравлюсь, ты приглашаешь

меня в ресторан, а так как с мужем я развелась, отвечаю: «Да». А вдруг ты моя судьба?

— А как же машина? — хмыкнул он.

— Да черт с ней, что значит машина, когда речь идет о судьбе.

— Ну, поехали, — пожал он плечами и тронулся с места. — Ты машину хотя бы запереть не забыла?

— Вроде заперла. Забудь об этом. Лучше расскажи, почему ты вдруг решил пытать счастья. Именно сегодня.

— Ну... ты мне всегда нравилась. Просто я не знал, что там у вас с Ильей... В общем, не решался...

— А сегодня решился? Илья посвятил тебя в свои планы?

— Он со мной планами не делится.

— Значит, своим умом дошел?

— Значит, — кивнул Кирилл и опять усмехнулся.

Я, не стесняясь, разглядывала его. Да, физиономию симпатичной не назовешь, чувствовалось в нем что-то чрезвычайно опасное и... знакомое. Какая-то догадка мелькнула и исчезла, так и не сформировавшись в мысль.

— Что ж, пригласил женщину в ресторан, развлекай разговорами, — улыбнулась я.

— Если честно, я не очень разговорчивый.

— А я очень, так что напрягайся.

— О чем я должен рассказывать?

— О себе, естественно. Ты мной интересуешься, я тобой.

Кирилл пожал плечами.

— Я обыкновенный, работаю у твоего брата. Не женат. Квартира однокомнатная, на Егорьевском спуске, второй подъезд, второй этаж. Машину ты видишь, в целом на жизнь не жалуюсь.

— А сегодня у тебя выходной?

— Точно. Вообще я собрался в отпуск. Лето, жарко...

— Отлично, хочешь пригласить меня?

— Ну... почему бы и нет.

— Классный ты парень...

Мы подъехали к ресторану, он остановил машину и посмотрел на меня с сомнением, как видно, надеялся, что я передумаю и откажусь от глупой идеи.

— Пойдем, — лучисто улыбнулась я, и мы пошли.

— Я беспокоюсь за твою машину, — сказал он, когда мы уже сидели за столиком. — Пожалуй, стоит позвонить твоему брату.

— Зачем? — удивилась я.

— Пришлет кого-нибудь за ключами, чтобы ее отогнали к дому.

— Да?

Он извлек сотовый из кармана пиджака и в самом деле позвонил Сашке.

— Саша, я с твоей сестрой ужинаю в итальянском ресторане... Ее машина возле универмага, торговый центр «Восточный». Пришли кого-нибудь из ребят... да... хорошо.

— Теперь ты успокоился?

— Более-менее, — пожал он плечами и протянул мне меню. Мы сделали заказ и выжидающе уставились друг на друга.

— Что ж, ты меня пригласил, мы сидим в ресторане, и я внимательно слушаю.

— Может, сначала поужинаем?

— А потом?

— Что потом? — не понял он.

— Вот именно, что потом?

— Наверное, я разучился знакомиться с женщинами, неважно у меня выходит.

— Вовсе нет, — утешила я. — Просто ты не стараешься. До сих пор о себе не рассказал.

— Нечего рассказывать, честно. Живу, работаю...

— Давно?

— Что?

— Живешь в нашем городе?

— Четыре года.

— А до этого?

— Жил в Ярославле.

— Так ты из Ярославля? А как оказался у нас?

— Да никак. Развелся с женой, приехал сюда к дружку, погостить... Ну, и понравилось.

— Дружок этот, случаем, не Сашка?

— Нет, но он меня с Сашкой познакомил.

— Да? Кто такой? Наверняка я его знаю.

— Слушай, вроде бы ты меня допрашиваешь.

— Вроде бы, — согласилась я. — Не люблю, знаешь ли, когда за мной устраивают слежку.

— Я же все объяснил.

— Ага...

Мы занялись ужином, дальнейшие мои попытки узнать о Кирилле что-нибудь еще успехом не увенчались. Не знаю, в самом ли деле он считал меня красивой женщиной, но, сидя напротив, явно томился. И с трудом подыскивал слова.

— А знаешь, Кирилл, твое лицо мне почему-то кажется знакомым.

— Неудивительно, я ведь работаю у твоего брата.

— Я не это имела в виду. Смотрю на тебя... странное чувство, точно я должна что-то разглядеть в глубине, под кожей, если внимательно присмотрюсь.

— Присмотрись. Под кожей череп, выглядит препаршиво, у меня башка сильно болела, делали рентген, жуткий урод получился, прямо не узнать.

— Наверное. У Сашки ты неплохо зарабатываешь? Новая машина, квартира, сотовый в кармане. И все за четыре года. Недурно.

— Что ты имеешь в виду? — насторожился он.

— Только то, что сказала: ты неплохо зарабатываешь. Вчера у Сашки ты не был похож на служащего, очутившегося в хозяйском кабинете. Друг... соратник... или что-то в этом роде.

— Что-то я не пойму, куда ты клонишь.

— Брось, ты толковый парень, по глазам вижу. Взгляд у тебя, кстати... Нервничаешь?

— С чего бы вдруг? Все просто здорово.

— Я рада, что тебе нравится, — хохотнула я.

Покидать ресторан я не спешила, хотя мой спутник явно тосковал. Приехал какой-то парень, взял у меня ключи и исчез, а мы продолжили нашу игру в кошки-мышки. Кирилл понемногу разговорился, но беседа шла так затейливо, что по сути он ничего не сказал, по крайней мере, из его рассказов почерпнуть что-либо существенное мне не удалось. Ближе к десяти мне надоела вся эта пустая болтовня, и я решительно поднялась. Было заметно, что Кирилл обрадовался.

Возле подъезда стояла моя машина, Кирилл притормозил, выдал на-гора улыбку и сказал:

— Отличный был вечер.

— Ты не поднимешься? — удивилась я.

— Нет. Пожалуй, надо заехать на работу.

— Отчитаться?

— Что?.. Нет, конечно.

— Тогда, может, все-таки зайдешь, кофейку выпьешь?

— Хорошо, — согласился он, и через пять минут мы были в моей квартире.

— Располагайся, — кивнула я, сварила кофе, достала коньяк, накрыла на стол, а сама отправилась в ванную. Оттуда вернулась в коротком халате, он был из тонкого шелка и давал понять, что под ним больше ничего нет. Я забралась в кресло с ногами и уставилась на Кирилла. — Что ж, выпьем?

— Конечно. — Он старался не хмуриться и выглядеть довольным. Получалось ни к черту, мой халат его беспокоил, и совсем не в том смысле, который явствовал из ситуации.

Это показалось мне забавным, и я засмеялась. Потом подошла к нему и обняла. Он инстинктивно отстранился.

— В чем дело? — удивилась я. — Что-нибудь не так?

— Послушай, я... как бы это выразиться... не привык...

— Шутишь, — смеясь, я устроилась на подлокотнике кресла, в котором он сидел. — Бармен в ночном клубе, отличающийся повышенной нравственностью? Никогда не слышала о таком.

— Зато я слышал, что ты просто образец нравственности. Люди врут?

— Еще как. Я свободная женщина, пять лет томилась без мужика, и сам знаешь, что из этого вышло. Так что, если у тебя интерес ко мне, самое время воспользоваться.

Кирилл снял мою руку со своего плеча и поднялся.

— Неважно чувствую себя сегодня, — сказал он, ухмыляясь.

— Жаль. А я так рассчитывала.

Он направился к двери, я его проводила.

— Спокойной ночи, — пожелал он.

— Спокойной ночи, — ответила я и добавила: — Передай моему брату, что он придурок. И пусть мне на глаза не показывается... по крайней мере несколько дней.

— При чем здесь он? — нахмурился Кирилл, но я уже захлопнула дверь.

— Сукин сын! — проворчала я и пнула пуфик. То, что Кирилл поведает моему братцу о событиях сегодняшнего вечера, должно отбить у того охоту отправлять за мной соглядатаев. — Сукин сын! — повторила я и пошла спать.

Пить на ночь коньяк явно не стоило. Голова разболелась, а потом стала сниться всякая ерунда: я нагишом скакала по стойке бара в Сашкином клубе, а любимый старший брат укоризненно качал головой.

— Так тебе и надо! — орала я.

И тут я проснулась, кто-то был рядом. Не во сне, нет. Рядом со мной, в постели.

«Кирилл, — мелькнула совершенно нелепая мысль. — Как он вошел? О господи...»

Я попыталась высвободиться из чужих рук, а еще закричать. Губы сомкнулись на моих губах, и крика не получилось. Вот тут я испугалась по-настоящему. Извиваясь ужом, попробовала выскользнуть, но оказалось, что это невозможно. Кто-то держал мои руки в своих вытянутыми на подушке, в темноте со сна я ничего не могла разглядеть, тем более что лицо человека находилось слишком близко для того, чтобы понять, кто передо мной.

Все-таки мне удалось на мгновение высвободиться и закричать. Вместо крика получилось что-то похожее на хрип, а я в ужасе замерла: никто меня не услышит и никто не поможет.

Я дернулась влево, наугад пнула ногой, но без всякого толку.

«Это не может быть правдой... Господи, за что?» — в отчаянии думала я, пытаясь найти выход, и тут произошло нечто совершенно невероятное. Он отпустил меня.

Я замерла от неожиданности, а он, кажется, поднялся. Потом послышались шаги, с резким щелчком захлопнулась входная дверь. Я вытянулась в постели, сжала лицо руками и завыла.

Через минуту вскочила и метнулась к двери, потом к окну. Темный двор, ни души... Я вцепилась рукой в подоконник, сгорбилась, словно постарев сразу на десятки лет, и заревела. С трудом преодолев расстояние до постели, упала лицом вниз, силясь осмыслить происходящее.

— Это был Илья, — сказала я громко, вздрагивая от ужаса. — Господи, это был Илья... Что за чертовщина творится? Почему человек, которого я люблю, приходит ко мне, точно вор...

Я метнулась к телефону, набрала Сашкин домашний номер. Длинные гудки бесконечной чередой. Тогда позвонила в ночной клуб. Ответили почти сразу:

— Слушаю.

— Александр Юрьевич у себя? — Я порадовалась, что почти успокоилась и могу говорить внятно.

— Да. Кто его спрашивает?

— Я спрашиваю, передай Сашке...

— Извините, он минут пять назад уехал, — ответил парень.

— Что?! — выкрикнула я, но он уже не слышал. — Черт, черт, черт! — Я схватила телефон и запустила его в стену, до стены он все-таки не долетел и оказался в кресле.

Я натянула джинсы, футболку и бросилась к входной двери. Потом вспомнила про ключи от машины. Я отдала их парню, который перегонял мою «девятку», и мне их не вернули. «Почтовый ящик», — подумала я, и точно, ключи лежали в почтовом ящике. Через пять минут я летела в сторону клуба.

Небо медленно серело на востоке, я взглянула на часы, чертыхнулась и только тут сообразила, что забыла обуться. Босые ноги на педалях выглядели довольно нелепо.

— Ну и черт с ними! — разозлилась я.

Дверь была заперта, а огни потушены. Я зашла с черного хода и принялась долбить пяткой в дверь. Минут через пять мне открыл мордастый парень, вид он имел сонный, а на меня взирал с недоумением.

— Чего? — спросил он со вздохом.

— Где Сашка?

— Уехал, — пожал он плечами.

— Домой?

— Может, и домой, почем я знаю?

— Мне надо позвонить.

— Проходи, — особой охоты впускать меня в клуб в парне не чувствовалось, но послать подальше сестру своего хозяина он все-таки не решился.

Я направилась в Сашкин кабинет, парень ухватил меня за локоть.

— Позвони из коридора.

— Зачем? — продемонстрировала я бездну удивления. — Мне из кабинета удобнее.

— Да он заперт.

— А я так не думаю.

Я толкнула дверь, и она открылась. Мой провожатый укоризненно покачал головой и сделал шаг в сторону, а я вошла в кабинет.

За столом, в Сашкином кресле, сидел Кирилл и разговаривал по телефону, отрывисто и резко. Услышав скрип двери, он поднял голову, одарил меня недобрым взглядом и покачал головой. Поспешно повесил трубку, сложил на столе руки и уставился на меня.

— Ты вроде бы в отпуске? — проникновенно улыбнулась я.

— Зашел узнать, все ли в порядке, — ответил он совершенно серьезно.

— Ну и как?

— Что?

— Все в порядке? — проявила я заботу.

— Да вроде все.

— Отлично. Тогда пошли. Поможешь мне отыскать брата.

— Он... вряд ли хочет, чтобы его отыскали, ну... ты понимаешь?

— Любовь и все такое? — продемонстрировала я чудеса сообразительности.

— Точно, — обрадовался он. — Я передам, что ты его искала, думаю, попозже он сможет к тебе заехать.

— Да? Отлично. Может, мне стоит подождать здесь? Вот в этом кресле очень удобно.

— Я сейчас позову Игоря, и он отвезет тебя домой.

— Я не хочу домой. Мне там скучно. А с тобой весело.

Кирилл усмехнулся, поднялся и не торопясь подошел ко мне.

— Не думаю, что твоему брату понравится, что ты врываешься в его клуб в таком виде... Может, тебе стоит завязать с выпивкой, а?

— Может, — согласилась я и поднялась. — Передай моему брату, пусть идет к черту. И мой муж туда же. Я не очень хорошо понимаю, что происходит, но будьте уверены, что разберусь. И тогда кое-кому мало не покажется...

С бешенством хлопнув дверью, я торопливо покинула ночное заведение.

Села в машину и попыталась решить, что делать дальше. Я хочу увидеть Илью и поговорить с ним. Что-то заставило его прийти ко мне, а потом бежать без оглядки... И то, и другое — более чем странно. В квартиру он вошел, следовательно, у него были ключи, взять он их мог только у Сашки, а значит, должен был как-то объяснить свое желание.

Я отправилась на нашу с Ильей квартиру. Точнее, на квартиру Ильи. Темные окна, звонок отдавался в пустом жилище, наводя на мысль о заброшенных склепах. Бог знает что лезет в голову.

Я устроилась на ступеньке и чертила ногой узоры на полу. Ноги скоро замерзли, я начала ежиться, а потом стучать зубами.

— Ну, куда еще желаешь съездить? — усмехнулась я и побрела к своей машине.

Во двор моего дома мы въезжали одновременно с Сашкой, на бешеной скорости он выскочил из-за угла, свет фар ослепил меня на мгновение, и раздался сигнал, после чего Сашка сбавил скорость и мигнул мне фарами.

Мы затормозили у подъезда, и любимый старший брат выскочил из задней двери. Следовательно, Сашка раскатывает с шофером, вещь до сей поры небывалая.

— Что случилось? — испуганно спросил он, торопливо подходя ко мне. Я запирала машину, стоя к нему спиной и ответила спокойно:

— Ничего особенного. Приходил Илья.

— Да? — Он вроде бы растерялся.

— Да. Я проснулась среди ночи оттого, что кто-то забрался в мою постель. Класс, да? Навалился сверху и пару раз поцеловал. Всего-то... Но я чуть не свихнулась.

— О господи... Надо поменять замки, а сегодня тебе лучше переночевать у меня. Я очень беспокоюсь.

— Не валяй дурака, — отмахнулась я. — Что он тебе сказал? Что означает этот визит? Почему Илья ведет себя так, точно он спятил?

— С чего ты взяла, что это был он? — отводя взгляд, зло спросил Сашка.

— Ты в своем уме? — удивилась я. — Всерьез думаешь, что я не узнаю собственного мужа? В отличие от вас я еще не рехнулась. Что он тебе сказал?

— О чем?

— Вот что, братик, катись отсюда! Я не знаю, что вы затеяли, но вы зашли слишком далеко. Слишком.

Я направилась к подъезду, Сашка успел схватить меня за плечо.

— Аська, я... подожди...

Я сбросила его руку и скрылась в подъезде. Дома выпила рюмку коньяка, заперла дверь на щеколду и легла спать.

Проснулась я рано, лежала в постели и смотрела в окно.

— Может, в самом деле куда-нибудь уехать? Успокоиться и начать рассуждать здраво? Только вряд ли это получится.

Я перевела взгляд на фотографию на стене и тяжело вздохнула. Встала, подняла телефон, осуждающе покачав головой. Телефон работал, я набрала номер, извинилась и справилась о состоянии Гаврилова. Женщина на том конце провода ответила, что состояние нормальное.

— Вот и хорошо, — повесив трубку, заявила я и пошла пить кофе.

Жить в это утро не хотелось. Тут в дверь позвонили. Чертыхаясь, я пошла открывать, а увидев на пороге Лерку, довольно грубо выругалась. Она едва стояла на ногах и глупо улыбалась. Вчерашняя косметика размазана по лицу, подол платья грязный, такое впечатление, что по нему ходили.

— А вот и я, — пропела Лерка, сделала шаг и упала. Пришлось тащить ее волоком.

Кое-как я устроила ее на диване, надеясь, что она мгновенно уснет, не успев завести свою любимую песню. Но не тут-то было. Лерка седа, с трудом разлепив глаза, откинула голову на спинку дивана и спросила:

— Ты Сашку видела?

— Когда?

— Все равно. Я его сто лет не видела, может, двести.

— Слушай, мне нет никакого дела до ваших проблем, своих полно. Так что или заткнись, или топай отсюда.

— Я не могу топать, — вздохнула Лерка.

— Сможешь, — утешила я. — Как-то ты до меня добралась.

— И на этом мои силы иссякли... А что у тебя за проблемы?

— Все те же.

— А... Илья... виделись? Он послал тебя к черту? Правильно...

— Почему? — насторожилась я, а Лерка захихикала.

— Потому что, потому... больно умные вы с твоим братом... Слушай, чего я терплю этого придурка? Он у меня допрыгается, сволочь, я ему устрою... — Лерка принялась колотить кулаком по подушке, глядя на меня безумными глазами.

Я села в кресло, боясь сделать лишнее движение, и осторожно спросила:

— Что ты можешь ему устроить? Вот он, пожалуй, многое может. К примеру, вышвырнуть тебя на улицу. При твоей тяге к труду и алкоголю ты через год загнешься на вокзале или на помойке. Думаю, все-таки на помойке, на вокзал тебя не пустят.

Она запустила в меня подушкой.

— Сволочь... ты и твой брат — оба сволочи... А вот кто из нас сдохнет на помойке, еще посмотрим. Я держу твоего брата за яйца... Подонок... а ты... ох, как я вас ненавижу! Ты, Анастасия Прекрасная, ты всерьез верила, что Илья к тебе вернется? После того, как твой Сашка упек его в тюрьму? Лучшего друга и родственника. — Она хихикнула, а потом икнула. — Я-то все видела. Все. Я ж за ним следила. В клубе в ту ночь бузели, а Сашка, умник, тихо смылся, но я-то сразу поняла: что-то тут не так, и заваруха эта, и все такое, и за ним приглядывала. Он выскочил из клуба и сел в твою тачку. С какой стати, а? И что твоя машина делала в переулке неподалеку от клуба, раз ты сама была дома? Очень интересно. И я поехала за ним на своей машине. Это вы думаете, что я дура, а я умнее вас всех, вместе взятых. Я ехала без света и особенно к нему не приближалась, движения никакого, огни тачки я видела и потерять его не боялась. Потом все-таки потеряла, когда он свернул на эту... забыла название. Пришлось малость поплутать. Когда я поняла, где нахожусь, мне стало жутко интересно. «Может, у моего любимого здесь не свои шашни, — подумала я. — Может, сестричка, святая невинность, супругу рога наставляет». Ну, я бросила машину и пошла посмотреть. — Лерка опять хихикнула, погрозила мне пальцем и вдруг задумалась. Выглядела она при этом абсолютно трезвой, но тут ее вновь разобрала икота, и впечатление трезвости исчезло.

Я сидела, боясь пошевелиться и, кажется, собиралась упасть в обморок.

— Что, интересно? — подмигнула мне Лерка. — На чем я остановилась, а, на святой невинности. Ты и вправду святая, да? Чем вам Илья не приглянулся? А может, Сашке просто не нравится, что с тобой кто-то спит? Бывают такие братья... а вы безумно любите друг друга, ты и он, везде и всюду вместе, и никто вам не нужен.

— Точно, — сказала я. — Ты нам без надобности, глупая пьяная стерва, которая выдумывает всякую чепуху.

— Чепуху, да? — разозлилась Лерка и вроде бы вознамерилась вцепиться мне в волосы, но сил на это у нее не было, и она зашипела: — Я еще вам устрою, сволочи...

— Что ты можешь нам устроить? Будешь всюду рассказывать свои глупые байки?

— Глупые байки? — Глаза у Лерки сузились, теперь она напоминала злую кошку. — Как же, байки... я сама видела, как Сашка подошел к машине Ильи и что-то сунул под сиденье. Я еще хотела его окликнуть, но передумала. Как бы по шее не получить. Сашка убрался, и я тоже. А утром... ну, ты знаешь. Вы с братцем разыграли такой спектакль... Вот тогда до меня и дошло, с кем я имею дело. Я пошла в кабак, нарезалась, как... свинья, одним словом... а потом куда-то поехала. Помнишь, я разбила свою машину вдребезги... а сама осталась жива. Живучая я... Шибко была пьяная... с тех пор я только и делаю, что напиваюсь, а чем еще занять себя, а? Напиваюсь, правда, на машине не езжу, Сашка свою не дает, а моя тю-тю...

— Лерка, ведь ты все это выдумала, да? — жалобно спросила я.

Она замерла на мгновение, хмуря брови и пытаясь сфокусировать зрение, потом кивнула:

— Конечно. У меня крыша едет. Твой брат так говорит, и он прав. Крыша у меня точно съехала, пять лет назад. Весело, да? — Лерка еще раз икнула и вдруг заплакала. — Сволочи, — сказала она и начала раскачиваться, точно китайский болванчик. — Сволочи, сволочи...

Я с трудом поднялась и сделала пару шагов. Огляделась, пытаясь понять, что же я хотела? Ах, да... Что?.. Господи... Я шагнула к Лерке.

— Дай ключи от квартиры.

Она вздрогнула и вроде бы пришла в себя.

— Зачем? Ты куда?

— Хочу поговорить с братом.

— Аська, не говори ему... Он убьет меня... дура проклятая, он убьет меня.

Я вытряхнула содержимое ее сумочки на пол, нашла ключи и бросилась к двери.

— Не оставляй меня! — заорала Лерка.

«Это не может быть правдой, — думала я по дороге к Сашкиному дому. — Зачем это моему брату? Он ничего не выиграл от того, что Илья сел в тюрьму. Более того, Сашке пришлось нелегко... Это он так говорил. Жаловался, что дела идут плохо, а сам... швырялся деньгами, содержал Лерку, меня, с легкостью купил мне квартиру, когда мы разошлись с Ильей, подарил машину на день рождения... Он убрал Илью и занял его место? А тот, зная об этом, ведет какую-то хитроумную игру? Или он вовсе ничего не подозревает... Подозревает. Именно поэтому молчал пять лет и не желает говорить сейчас. Что он может сказать: брат, которого ты так любишь, подлец и убийца?..»

Я решительно свернула на улицу Воровского, где когда-то жил Андрей. Сашкина фотография в моем бумажнике, чего ж проще, показать ее тете Жене...

Дверь, как и в прошлый раз, открыл мальчишка. Я поздоровалась и спросила:

— Как себя чувствует бабушка? Можно с ней увидеться?

Мальчишка пожал плечами и пошел по коридору, я осторожно прикрыла дверь и направилась следом. Сердце билось где-то в горле. Тетю Женю мой приход не удивил. Дрожащей рукой я протянула ей фотографию и торопливо отвела взгляд. Она молча разглядывала фото минут десять, не меньше. Я облизывала губы и изо всех сил старалась не упасть в обморок.

— Нет, — покачала она головой. — То есть я не знаю... Похож... но... Думала, я на всю жизнь его запомнила, а теперь... нет. Вот если бы я его живьем увидела...

— Извините, — пролепетала я и бегом бросилась из квартиры.

Я стиснула зубы и свернула к Сашкиному дому. В конце концов он здесь появится, и я смогу наконец-то все выяснить.

Из квартиры я все-таки позвонила в клуб. Сашки там не было. Что ж, в клубе разговор все равно не получится... Я попыталась успокоиться, легла на диван... через минуту вскочила и заметалась по комнате. Схватила фотографию с секретера: я, Сашка и Илья в обнимку, пьяные, веселые...

— Как ты мог? — жалобно пролепетала я. И зачем-то открыла секретер, может, хотела увидеть письма Ильи, Сашка хранил их здесь. Я потянулась к пачке писем, аккуратно перетянутых резинкой. — Не могу поверить... Тетя Женя его не узнала... да брось ты, вспомни ее описание убийцы: «высокий, темные волосы, красивый»... А Гаврилов не захотел сказать, кого увидел в ту ночь... «иногда правда хуже смерти»...

Я держала в руках пачку писем и плакала, мне казалось, им здесь не место, их надо забрать отсюда... И тут обратила внимание на пачку потоньше. Наверное, тоже письма, только без конвертов. Почерк Ильи. Я торопливо развернула первое и прочитала: «Здравствуй, моя маленькая. Сегодня ровно два месяца, как мы не виделись с тобой».

— Этого не может быть, — прошептала я, а потом завыла.

Я сидела на полу, а вокруг меня были разбросаны письма. За пять лет их накопилось много. Я услышала, как хлопнула входная дверь, и в комнате появился Сашка, нахмурился и замер на пороге, привалившись к стене.

— Что это, Саша? — жалко спросила я, разводя руками. — Что?

— Ты же видишь, — помолчав, ответил он. — Письма Ильи.

— Сашенька, милый, объясни мне... ради бога, Саша... Ты ведь не хочешь, чтобы я сошла с ума? Как ты мог? Ты же знал, ты знал... я сто раз хотела подохнуть... Саша, ты знал, как я жду этих писем... Почему, за что, а?

— Он писал тебе письма, но не велел отдавать.

— Бред, правда? — засмеялась я.

— Он не хотел, чтобы ты их получила, пока он был там, но не мог не писать, а еще надеялся, что однажды ты их прочтешь и поймешь, как он любит тебя.

Сашка опустился на колени и стал собирать письма, не торопясь, аккуратно их складывая. А я смотрела на своего брата и пыталась поймать его взгляд, но он упорно отводил глаза.

— Саша, я все знаю. Все. Ради бога, зачем ты это сделал?

— Что? — удивился он.

— Это ты убил Андрея и сунул пистолет в машину Ильи.

— Я убил Андрея? — Он покачал головой. — Откуда эта дурацкая мысль? Зачем мне убивать

Андрея? Это тебе твой свидетель сказал, да? Он что, назвал мое имя, вот так просто сказал: «Твой брат убийца»?

Я поднялась с пола, посмотрела на Сашку и спросила:

— Где Илья?

— Не знаю. У него были дела. Какие, он не сказал. Не думаю, что тебе стоит искать его сейчас. Давай выпьем немного и успокоимся.

— Где Илья?! — теперь я кричала, а Сашка пожал плечами и вроде бы обиделся.

— Почему ты кричишь? Ты плохо выглядишь, бледная, круги под глазами. Илья хотел, чтобы ты ненадолго уехала.

— Прекрати, — засмеялась я. — Есть человек, который видел, как ты положил пистолет в машину.

— Да? — удивился Сашка. — А этот человек не страдает галлюцинациями на почве алкоголизма?

— Пошел к черту. Где Илья? Он жив?

— Ты с ума сошла, — растерялся Сашка и пошел к телефону.

— Что ты собираешься делать? — насторожилась я.

— Звонить твоему мужу, разумеется. — Он набрал номер, подождал и произнес со вздохом: — Она здесь, у меня. По-моему, ты должен... О, черт... Она нашла письма, а Лерка успела рассказать ей свою коронную историю. Ее пьяный бред произвел на твою жену впечатление. — Тут Сашка протянул мне трубку, я на мгновение растерялась, а он схватил меня за руку и подтянул ближе к себе.

— Слушай своего брата, — сказал Илья и повесил трубку.

— Вот так, — усмехнулся Сашка. Он выглядел смертельно усталым и постаревшим... Сейчас ему можно было дать лет сорок или больше...

— Я отвезу тебя в одно тихое место. Ты поживешь там недельку. А потом все будет отлично, как я обещал. Илья тебя любит. Я же говорил. Все отлично. Пойдем... — Он уже тянул меня за руку, а я брела за ним, ничего не соображая.

— Я поеду на своей машине, — твердо заявила я уже на улице.

— Хорошо, — согласился Сашка.

— И я сяду за руль.

— У тебя руки дрожат.

— Я сяду за руль! — перешла я на крик.

— Хорошо, хорошо, — кивнул он, глядя на меня так, точно каждую секунду ждал, что я упаду и разобьюсь на мелкие осколки. Что-то вроде этого я чувствовала и сама: вот сейчас упаду и разобьюсь.

Мы выехали на проспект. Сашка тихо и непривычно монотонно объяснял, куда свернуть, я молча подчинялась. Мы выехали из города, и он сказал:

— Первый поворот направо.

— А что потом? — догадалась спросить я.

— Там наша дача. Ты забыла?

И в самом деле мы сворачивали к нашей даче. Услышав шум мотора, на крыльцо вышел парень в клетчатой рубашке и улыбнулся нам.

— Кто это? — спросила я.

— Сторож. Я нанял парня присматривать за дачей.

Я сделала вид, что собираюсь выйти из машины, Сашка вышел, хлопнул дверцей, а я, забыв закрыть свою, рванула с места. Драгоценные секунды ушли на то, чтобы развернуться, за это время Сашка открыл ворота, а парень выгнал из гаража новенький «Опель»... Но они тоже теряли секунды, парень притормозил, выскочил из машины, Сашка занял его место... а я уже вылетела на шоссе.

Стрелка спидометра падала вправо, а я, сцепив зубы, смотрела прямо перед собой. И тут подумала о Лерке.

— Ее нельзя оставлять одну. Она ведь сказала... Что? «Он убьет меня... убьет, убьет»...

Кажется, меня пытался остановить инспектор ГАИ, я пролетела мимо, плохо соображая, что творится вокруг. Надеюсь, Лерка все еще в моей квартире. Спит, свернувшись на диване калачиком. Нашла коньяк, допила его и пребывает в беспамятстве.

Поглощенная мыслями о Лерке, я забыла о своем брате и вроде бы удивилась, когда он следом за мной оказался во дворе.

— Ася!.. — крикнул он, бросившись мне наперерез. — Ася, тебе нельзя находиться в городе. Ради бога... я обещаю, Илья приедет уже сегодня. Ты слышишь меня, слышишь?

Я что-то промычала в ответ. А он меня ударил. Ладонью по щеке, один раз, другой, и я вытаращила глаза.

— Прости, — сказал он. — Если бы ты только видела себя сейчас. Поедем отсюда.

Он цепко держал меня. «Так я ничего не добьюсь», — пронеслось в голове.

— Ты... Ты правда обещаешь? — пролепетала я.

— Ну конечно, когда я тебя обманывал?

— Да... — Я покачала головой и добавила: — Я люблю тебя, очень...

— И я тебя. Ты знаешь.

— Я хочу, чтобы со мной поехала Лерка.

— Лерка? Хорошо, я привезу ее.

— Нет. Сейчас. — Я сделала шаг к подъезду. Если он попытается затащить меня в машину, я закричу.

— Хорошо, попробуем ее найти. — Сашка говорил ласково, с какой-то раздражающей интонацией, точно считал меня тяжело больной.

— Ее не надо искать. Она у меня. Здесь, в квартире.

— Давай поедем на дачу, а потом я привезу Лерку, — попросил Сашка.

— Что за чепуху ты несешь? — разозлилась я. — Мы стоим возле моего подъезда.

— Возможно, ее уже нет в квартире, она запросто могла уйти.

— Так давай проверим, — предложила я и сделала шаг. Сашка пошел рядом.

Я открыла дверь своим ключом и торопливо прошла в комнату, потом в кухню. Лерки нигде не было.

— Эй! — позвала я.

— Я же говорил, она ушла, — вздохнул Сашка. — Пьяной ей вечно не сидится на месте.

Я шагнула к дивану. Леркина сумка все еще валялась между диваном и креслом. Расстегнутая. Возможно, она просто забыла ее... Я бросилась в ванную, толкнула дверь, включила свет...

Лерка лежала по горло в воде странного красного цвета. Голова запрокинута, лицо неестественно белое, одна рука в воде, другая свисала с края ванны, под ней на полу собралась лужица крови, а рядом кухонный нож, рукоятка бурого цвета, вены на Леркином запястье перерезаны несколько раз.

Я испуганно шагнула в сторону и натолкнулась на Сашку. Он стоял в дверях, глаза его округлились и странно сверкали, а лицо было почти таким же белым, как Леркино.

— Я знал, что этим кончится, — прошептал он. — Я чувствовал...

Я покачала головой и усмехнулась, продолжая пятиться от своего брата.

— Ты спятил, Саша, — смогла сказать я.

Он вздрогнул, отвел взгляд от Лерки и посмотрел мне в глаза.

— Не смей, — сказал твердо. — Слышишь, не смей. Это неправда, — и заплакал, сделал шаг ко мне, но я распахнула входную дверь и с криком бросилась на улицу.

Я подбежала к своей машине, но ключей у меня не было, заметалась рядом, кусая ладонь, пытаясь успокоиться, и кинулась прочь со двора. Быстрее, быстрее... Я слышала скрип тормозов, а потом чью-то ругань.

— Куда летишь, чокнутая? — рявкнул кто-то над ухом, а я закричала:

— Пожалуйста, помогите мне... ради бога!

— Конечно, поможем, — пообещал смутно знакомый мужской голос, сильные пальцы оказались под моим подбородком, я широко распахнула глаза, успела сделать глубокий вдох и провалилась в темноту.

Пробуждение было не из приятных. Голову разламывало от боли, очень хотелось пить, веки не желали разлипаться, точно им что-то мешало.

Я шевельнулась и поняла, что лежу на чем-то жестком в абсолютной тишине. Нет, какой-то слабый звук достигал моего слуха, будто где-то далеко заколачивали гвозди. Это неожиданно испугало меня.

Я рывком поднялась, ударилась головой обо что-то твердое и перепугалась еще больше, решив, что я нахожусь в замкнутом пространстве, а стук вызвал ассоциации с гробом: точно в крышку забивают гвозди. В первую секунду я ужаснулась, подумав, что меня заживо похоронили, пронзительно закричала и наконец смогла разлепить глаза.

Если это и был гроб, то очень большой. Постепенно я стала различать в темноте какие-то предметы. Надо мной что-то деревянное, я нащупала одну ножку, вторую... черт... стол, я лежу под столом. Точнее, моя голова находилась под столом, и, резко приподнявшись, я ударилась об него лбом.

Я с облегчением вздохнула: насколько мне известно, столы в склепах не ставят... так же как и кровати. Рядом точно была кровать, обыкновенная, железная, с панцирной сеткой. С матрасом, подушкой и одеялом. Я умудрилась свалиться с нее и оказалась под столом, а может, кто-то поленился дотащить меня до кровати и оставил рядом.

Я встала на четвереньки, а потом осторожно выпрямилась. Стол, кровать... больше ничего... стена. Холодная на ощупь. Но в комнате было вовсе не холодно, скорее наоборот. Хотя это не комната. Подвал, потолок очень низкий, меньше двух метров от пола, давит на плечи. Пол цементный.

Я пошла вдоль стены, и тут вспыхнул свет, а я вскрикнула от неожиданности и зажмурилась. Лампочка свисала на коротком шнуре, прямо посередине желтого, в потеках потолка.

Через несколько минут я смогла разглядеть комнату. Маленькая, квадратная, кроме ранее обнаруженных стола и кровати, был еще стул и ширма. За ширмой туалет, самый что ни на есть примитивный. Еще была дверь. Низкая, очень крепкая на вид и без ручки. Я присвистнула, потратив минут пять на ее созерцание.

— Классная дверца, — сказала я со вздохом. Через нее меня сюда доставили, и только через нее можно покинуть этот подвал, потому что окон, даже крохотных, напоминающих дыру для кошки, не наблюдалось. — А дверь без ручки, — напомнила я себе. — Ладно, будем считать большой удачей, что я жива. Смертную казнь мне заменили заключением... а что, если пожизненным?

Я поежилась и подошла к столу. Он был девственно чист, то есть пуст. Я еще раз заглянула за ширму: в углу таз и трехлитровая банка с водой. Я схватила ее и жадно выпила почти половину. После чего вернулась на кровать, легла и уставилась в потолок.

Трещинки на нем весело разбегались в разные стороны. Очень жаль, что я не таракан, можно было бы попытать счастья, впрочем, трещины выглядят так, что в них и таракан вряд ли пролезет.

Черт... где я и что все это значит? Я жива, и это само по себе наводит на интересные мысли. Убивая налево и направо, некто проявлял обо мне трогательную заботу... Любимый старший брат жаждал отправить меня отдохнуть. Данный подвал, конечно, не Канары, но человек с чувством юмора решит, что лежать на кровати и разглядывать потолок — вполне приличный отдых. Давай подумаем о любимом старшем брате... Я почти уверена, что Андрея убил он. Почти, потому что не могу понять, зачем? Только для того, чтобы подставить Илью. Чем не ответ? К сожалению, это здорово похоже на правду.

Сашка мог знать, что Илье кто-то назначил встречу в парке «Дружба», вот он с ловкостью фокусника и провернул это дельце. Чем Илья мешал ему? Являлся препятствием на пути к «мировому господству»? Друзей предавали и за меньшее. Сашка столковался с армейским дружком, перестрелял авторитетов и засадил моего мужа в тюрьму... Не годится, убийства произошли практически одновременно. Трудно поверить, что Сашка учинил расправу на Катинской, успел спрятать автомат, потом явился к Андрею, застрелил его, подбросил пистолет Илье, и все это за считанные минуты. Кто-то ему помог... Севка? Если удастся отсюда выбраться, спрошу об этом у него самого. Эх, Севка, Севка, хороши у тебя дела с моим братом! Я закрыла глаза, потому что свет лампочки стал раздражать...

Мой любимый старший брат, разделавшись со всеми конкурентами, стал править в городе... Занятно. Сашка в роли коварного Нерона... или Калигулы? О, черт, какая разница?

Однако братишка где-то дал маху, и Илья узнал о его проделках, но согласился немного поиграть. Поэтому и ждали его с большим нетерпением. Последний акт губернской драмы.

Как поведет себя Илья? Согласится с сегодняшней расстановкой сил или рискнет и погибнет? Мое сидение в подвале может объясняться просто: Сашка будет использовать меня для давления на Илью. Мой муж меня любит: любил раньше, любил все эти пять лет и любит сейчас. И ему предстоит сделать трудный выбор: или я, или...

Эта лампочка здорово действует на нервы, лежать в темноте куда приятнее...

А если все не так и я нахожусь у Сашкиных врагов? Почему бы таковым и не быть? Недруги, воспользовавшись появлением Ильи, начали военные действия и шантажируют вовсе не моего мужа, а Сашку. В этом случае я себе не завидую. Любимый старший брат уже предал друга, жену и... Не мог он убить Лерку. Он не знал, что она у меня, а когда узнал, ее уже не было в живых. Он мог догадаться, когда я сказала о свидетеле. Мог.

Но с той минуты всегда был рядом... И не звонил... То есть звонил один раз, Илье... и сказал что-то... Ну да, о том, что Лерка поделилась своей выдумкой. Выходит, Илье Леркина версия известна? Стоп... не разбрасывайся, сосредоточься на одной мысли. Сашка не мог убить Лерку и не мог отдать приказ об этом... если не сделал этого раньше, до встречи со мной... А его лицо? И слезы... Я в жизни не видела, чтобы Сашка плакал. Даже когда хоронили родителей.

— Сашенька, — позвала я. — Объясни мне, ради бога... объясни...

Я уткнулась лицом в подушку, но... неожиданно успокоилась. Слез не было, скорее — злость. Не на Сашку даже, а на то, что проще назвать одним словом: судьба. У меня никогда уже не будет мужа и брата... или тот, или другой... Я не хочу об этом думать, не хочу...

Что затеял Илья? С Сашкой он ведет себя так, точно не знает, что тот упек его в тюрьму. И Илья тоже советовал мне уехать. Чтобы руки были развязаны? А когда я вернусь, та самая судьба сделает за меня выбор? Меня встретит муж... или брат... Не могу я лежать в этом дурацком подвале, когда там происходит такое... А что бы я там смогла? Остановить их... остановить...

— Может, еще скажешь как? — ядовито осведомилась я и вновь легла на спину.

Тут свет погас. Я удивленно огляделась и стала ждать, что будет дальше. Ждала долго, но ничего не происходило. Совсем ничего. Я лежала, ждала, веки наливались тяжестью, иногда мне казалось, что слух улавливает какие-то движения, и я, напрягаясь, почти не дыша, всматривалась в темноту, вслушивалась, но вокруг было тихо. Я соскальзывала в эту тишину, все дальше, дальше... Мысли путались, а я засыпала...

Свет опять горел, а возле двери стояли два термоса и большой поднос. Я медленно поднялась с кровати и подошла к ним. Количество и качество пищи, а также сервировка намекали на то, что я не заштатный арестант, а почетный тюремный гость. Нож и вилка отсутствовали — меня уважали. Это навело на некоторые мысли, и я тщательно обследовала свою тюрьму. К сожалению, о подкопе пришлось забыть.

Дверь, вот что меня интересовало... дурацкая дверь без ручки, выглядевшая непробиваемой, как броня. Однако эта дверь открывается, иначе, как здесь появилась еда, и будет открываться впредь, если они, конечно, не решат вдруг уморить меня голодом. Судя по меню, о моем здоровье трепетно заботились. Клубника со сливками и мороженое — это кое-что. Мороженое, правда, успело растаять и выглядело препротивно, но я все-таки с ним расправилась.

Наевшись до отвала, прошлась по комнате. Тюремщик выбрал для визита время, когда я спала. Надо проявить бдительность и не проворонить столь светлый миг в следующий раз.

Тут я додумалась взглянуть на часы. Они показывали половину третьего. Дня, ночи? А если дня, то какого? Если я не путаю, сегодня пятница, а если учесть, что меня только что кормили супом, то время обеденное. Логичность и глубина умозаключений прямо-таки поражает... Глупо кормить человека ночью... Ладно, будем считать, сегодня пятница, половина третьего дня. Интересно, питание здесь трехразовое? Как бы не проворонить мне этого парня... А может, это вовсе не парень? Кто ж тогда, интересно? Вот и займись выяснением.

Этого типа я засекла только на третий день, если, конечно, ничего не напутала и с момента моего заключения прошло двое суток. Надо сказать, что чувствовала я себя препаршиво, что неудивительно. Свет то выключали на несколько часов, то включали, на пороге появлялся поднос с термосами — вот и все события моей жизни. Плюс дрянные мысли о брате и страх за Илью.

И в этот раз я могла пропустить миг, когда дверь откроется и кто-то оставит мне пищу. Кормили меня дважды в день и отнюдь не по часам. Как я ни старалась, а поднос появлялся и исчезал именно в то время, когда я спала. Должно быть, у моего тюремщика сильно развит дар предвидения.

И в этот раз свет выключили уже довольно давно, меня клонило в сон, и тут я различила шум за дверью, вроде бы что-то звякнуло, потом осторожные шаги, дверь открылась, а я вскочила и в три прыжка оказалась возле нее. Перед моим носом она захлопнулась, и тут же зажегся свет. Под ногами стоял поднос, а под дверью кто-то весело хихикнул.

— Придурок! — крикнула я и, схватив поднос, швырнула его об стену. Это мне понравилось, и я еще немного пошвыряла: термос, стол и стул.

— Эй, не валяй дурака! — раздалось из-за

двери. — Будешь плохо себя вести, привяжу к кровати.

— Пошел к черту, дурак! — ответила я.

— Сама дура! — обиделся парень, в общем, у нас завязались какие-то отношения.

Прошли еще сутки, за это время мы трижды заводили беседу, то есть я обзывала его придурком, а он каждый раз обещал привязать меня к кровати. Голос один и тот же, выходит, парень не меняется и живет где-то здесь, над подвалом.

— Когда меня выпустят? — рискнула спросить я на третий раз.

— С чего ты взяла, что тебя выпустят? — ехидно осведомился он. — Так и будешь здесь сидеть, если не перестанешь швыряться подносами.

— А чего не убьете, зачем продукты переводить?

— Умная, да? — обиделся он и ушел, а я легла на кровать.

На следующий день он заговорил сам. Когда я проснулась, поднос уже стоял у дверей, но стоило мне вернуться из-за ширмы, парень спросил:

— Как спалось?

— Хуже некуда, — ответила я. — А тебе?

— А я сплю хорошо.

— Молодец, значит, сторожем при мне тебя назначил мой брат?

— Кто? — проявил он живой интерес.

— А то ты не знаешь: Сашка Романов.

— Он твой брат? — вроде бы удивился парень и тут же добавил: — При чем здесь он? Болтаешь всякую чушь, — и убрел, я слышала удаляющиеся шаги. Судя по звуку, он поднимался по лестнице, что немудрено, поскольку я нахожусь в подвале.

Появился мой стражник меньше чем через час. Услышав шаги, я крикнула:

— Ты бы хоть книжку какую мне принес, свихнешься тут от скуки!

— Ничего, я вот не свихнулся, мне, может, тоже невесело.

— Тогда давай поговорим, — предложила я.

— О чем?

— К примеру, о моем брате.

— О твоем брате мне неинтересно, я про него и так все знаю. У него ночной клуб в центре, классная забегаловка. Я там был один раз.

— Тогда расскажи про себя.

— Ага... дурак я, что ли?

— Я не биографию прошу и не военную тайну. Например, какие женщины тебе нравятся?

— Блондинки, — подумав, ответил он. — Ну, и чтоб все при ней было.

— Ким Бессинджер тебе нравится?

— Чего-то я такую не помню...

— Как же, «Девять с половиной недель»...

— А-а... нравится.

После этого мы немного поговорили об американском кинематографе.

— Слушай, здесь очень жарко, — вздохнула я, решив, что взаимопонимание достигнуто. — Нельзя ли эту берлогу проветрить?

— Дверь, что ли, открыть? — обиделся он и ушел, но вернулся уже не через час, а минут через сорок. Парень точно был один, трудился без выходных, скучал и томился.

В подвале в самом деле стало невыносимо жарко. Я вылила на себя трехлитровую банку воды, а парень за дверью насторожился.

— Опять дурака валяешь?

Выходит, он меня видит? Я решила проверить свои подозрения и принялась буйствовать.

— Расколотишь стол, будешь есть на полу, — обиделся парень.

Я поставила стул посередине комнатушки, села и попыталась понять, откуда и как он может наблюдать за мной.

— Ладно, я больше не буду, — сказала я миролюбиво. — Лучше поболтаем. «Смертельное оружие» смотрел?

— С Мелом Гибсоном? Конечно. Сто лет назад.

— Классный фильм.

— Мне больше третья часть нравится, где негр на толчке сидит.

— Это во второй части, — поправила я и сбросила туфли. Они улетели к двери.

— Ты чего? — забеспокоился парень.

— Туфли сняла. Жарко.

Мы еще немного поболтали, и я сняла платье, без шума отбросив его в сторону. Села, широко расставив ноги и расправив плечи.

— Хочу в душ, — вздохнула я, он ничего не ответил. Я подумала и сняла бюстгальтер.

— Эй, прекрати сейчас же! — тут же отреагировал он, а я удивилась:

— Ты чего?

— А ты?

— Что я?

— Чем ты занимаешься?

— Страдаю от жары и хочу в душ. Был бы хорошим парнем, не отказал бы в такой малости.

Я услышала его обиженное сопение.

— Чтоб ты смылась, да?

— Как же, смоешься, — в свою очередь обиделась я и стала развлекаться со своими волосами: то собирала их в конский хвост на макушке, то распускала. Дураком он все-таки не был.

— Ладно, пошел я.

— Давай, — равнодушно отозвалась я.

Он исправно затопал по лестнице, затем осторожно спустился вниз. Старался он напрасно: мой обостренный слух был способен уловить возню мышонка за сто километров.

Я продолжала развлекаться с волосами, потом прошлась по своей комнатенке и вновь устроилась на стуле. Спела пару песенок, шлепая в такт босыми ногами по полу.

«Ну, давай, парень, давай, открой дверь», — подгоняла я его мысленно и обливалась потом не от жары, а от волнения.

Тип за дверью был хитрецом, он не спешил ко мне на любовное свидание, предпочитая сопеть под дверью.

— Ладно, попробуем иначе, — решила я, лениво поднялась, а потом исполнила пару замысловатых па, неловко задела ногой стул, вскрикнула испуганно и грохнулась на пол вместе со стулом. И замерла. Лежала, не двигаясь, и вроде бы не дышала.

Через пару минут тип за дверью проявил беспокойство.

— Эй! — крикнул он. — Ты чего?

Отвечать я не собиралась.

— Завязывай, а? — попросил он испуганно, а я продолжала лежать, не шевелясь. — Ну и лежи себе, — обиделся он и вроде бы ушел. Рисковать я не стала. Он мог вовсе не уходить и продолжать наблюдать за мной.

Время шло. Кажется, часа два, не меньше, я лежала на цементном полу, рука затекла так, что я стиснула зубы, чтобы не стонать, бок кололо иголками, ко всему прочему, приземлилась я после падения в очень неудобной позе и сейчас сожалела об этом.

Было тихо, как в могиле. Если парень не дурак, он сообщит вышестоящим товарищам о том, что я лежу на полу без признаков жизни, но сам сунуться не рискнет. Однако в его уме я сильно сомневалась. В конце концов, у него нет причин особенно опасаться меня. Дважды в день он оставлял поднос на пороге, и все сходило благополучно... Но если он все-таки вызовет подкрепление, у меня, по крайней мере, появится шанс узнать, кто присудил меня к одиночному заключению...

Вдруг дверь открылась. Очень тихо. Кто-то осторожно вошел и начал приближаться ко мне, а я мысленно подобралась, прекрасно понимая, что второго шанса не будет, и я обязана использовать этот.

Парень оказался совсем рядом, склонился ко мне, вытянув руку и почти касаясь моего плеча. Я перевернулась на спину и ударила его ногой в пах. Он упал, скорее от неожиданности, а я вскочила и бросилась к двери, он было тоже собрался, но вместо этого отчаянно взвизгнул. Дверь парень оставил открытой, я торопливо захлопнула ее, к этому моменту мой тюремщик пришел в себя и всем телом обрушился на дверь, но за долю секунды до этого я успела задвинуть засов. Тяжелый, широкий брусок железа надежно защищал от беснующегося парня.

Я привалилась спиной к двери и попробовала отдышаться, прикрыв глаза, но тут же распахнула их пошире. Я все еще находилась в подвале, вверх вела деревянная лестница, там еще одна дверь, и кто знает, возможно, она закрыта. Ключ наверняка у парня, и я в этом случае попала в ловушку.

Дверь была открыта, я толкнула ее и оказалась в полуподвале, узкие окошки, стиральная машина в углу, выложенный голубым кафелем пол... Черт... я на собственной даче, то есть на нашей с Сашкой даче, доставшейся нам по наследству. Три года назад брат ее перестроил, и, как видно, в результате перестройки появился подвал, о котором я знать не знала. Рядом с дверью стоял металлический ящик, маскируя, когда возникала необходимость, вход в эту импровизированную темницу.

— С ума сойти, — покачала я головой и поторопилась прочь отсюда, но вовремя вспомнила, что в таком виде не только в городе, но и на даче появиться не смогу. Платье осталось в подвале в качестве утешительного приза доверчивому парню. — В доме должна быть какая-то одежда, — решила я и поднялась по лестнице на первый этаж.

И тут я услышала шум: к крыльцу подъехала машина. Я вжалась в стену, прислушиваясь и лихорадочно пытаясь решить, что делать. Кто-то поднимался на крыльцо. Должно быть, один человек. Но для меня и одного слишком много. Тихо, на носках я отступала к двери в комнату и тут вспомнила про камин.

Сам по себе камин меня всегда раздражал: выглядел он как-то нелепо и даже казался уродливым, но теперь я ему порадовалась, потому что к камину полагалась кочерга. Она в самом деле торчала из металлической подставки, я схватила ее и встала сбоку от входа в гостиную.

Человек к этому моменту вошел в дверь, а я сжала кочергу до ломоты в пальцах и приподняла ее над головой.

— Серега! — громко крикнул мужчина, голос я узнала сразу и мысленно усмехнулась. Только бы он решил заглянуть в гостиную...

Я уже чувствовала его совсем рядом... Вдруг он остановился и стал звонить по сотовому.

— Сева, — сказал он и сделал шаг... передо мной возникли спина и затылок. Со всей силы, на которую была способна, я обрушила кочергу на этот самый затылок. — Черт, — промямлил Кирилл и рухнул на ковер лицом вниз.

— Что у тебя там? — донесся Севкин голос из трубки. Севкино вмешательство сейчас было некстати, и я дала отбой.

Потом нашла на веранде моток веревки, связала Кириллу руки, подтянула все еще бесчувственное тело к огромному резному шкафу и обмотала конец веревки вокруг витой ножки. Если Кирилл решит покинуть дачу, придется ему прихватить с собой шкаф.

После этого я поднялась в свою комнату и облачилась в сарафан. С обувью дело обстояло сложнее, но, немного пошарив на веранде, я все-таки обнаружила свои старые босоножки. Обыскала Кирилла и нашла в кармане джинсов ключи от машины.

Кирилл постанывал и приходить в себя не спешил. Это меня беспокоило: вдруг я ударила слишком сильно? В общем, я нашла в аптечке нашатырь и с ним направилась к своему поверженному врагу.

Кирилл дернул головой, поморщился и открыл глаза.

— Привет, — сказала я и даже улыбнулась. Полминуты он смотрел на меня, впрочем, вполне осмысленно и вроде бы осуждающе. — Илья жив? — спросила я.

Он криво усмехнулся и кивнул. Потом внимательно оглядел меня и задал свой вопрос:

— Где этот придурок? Сидит в подвале?

— Сидит, — ответила я, а он заявил:

— Развяжи...

Это мне необыкновенно понравилось, и я лучисто улыбнулась, он поморщился и пояснил:

— Все кончилось. Я приехал за тобой. Так что ты зря старалась.

— Никогда не скажешь заранее, — еще шире улыбнулась я и полюбопытствовала: — А что кончилось?

Кирилл поморщился.

— Не хочешь, не надо, — обиделась я. — Хитришь, значит, освобождать тебя не стоит.

— Тебе все расскажет брат. Из меня рассказчик никудышный, у него лучше получится.

— Ага... — задумалась я. — Пожалуй, я уже сама все знаю. Сашка решил прибрать к рукам весь город. Так?

— Ну... более или менее...

— Это Сашка учинил расстрел на Катинской.

Кирилл пожал плечами:

— Вроде бы.

— А кто стрелял? Он сам?

— Понятия не имею. Но вряд ли.

— Конечно. Ведь надо было еще избавиться от Ильи. Убить Андрея и сунуть пистолет в машину моего мужа. За что он его так ненавидел?

В ответ Кирилл усмехнулся и даже хохотнул.

— Ясно. Ричард Третий, чтоб ему пропасть, — выругалась я и спросила зло: — Ну и как? Все Сашкины враги повержены? Теперь он в городе хозяин?

— Слушай, в городе пока неспокойно, — заволновался Кирилл, увидев, что я направляюсь к двери. — Я отвезу тебя в клуб, развяжи...

— Я доберусь до клуба сама, — заверила я его и вышла из дома.

Возле крыльца стоял серебристый «Фиат» Кирилла, я устроилась за рулем, завела мотор и, лихо развернувшись, покинула дачу.

Если в городе и было неспокойно, внешне это никак не проявлялось. Я выбрала кратчайшую дорогу к Сашкиному клубу и надеялась минут через двадцать нанести ему визит, но тут удача от меня отвернулась.

Видимо, я очень спешила, была поглощена своими мыслями и потому не заметила инспектора ГАИ. А вот он меня заметил. Неожиданно возник в поле моего зрения, необычайно деятельный и хмурый, и махнул жезлом. А я с опозданием вспомнила, что у меня нет документов на машину, так же, впрочем, как и любых других, и денег тоже нет. Чертыхнувшись, я полетела вперед, заметив в зеркале, как страж порядка кинулся к рации.

Машину придется бросить, с тоской поняла я, сворачивая в ближайшую подворотню. Играть в догоняшки с автоинспекцией мне явно не по силам, а в клуб я хочу попасть как можно скорее.

Я въехала во двор, приткнула машину поближе к сараям, заперла ее и, прихватив ключи, зашагала к арке между домами, с намерением выбраться на соседнюю улицу и взять такси. Надеюсь, мой любимый старший брат не откажется заплатить...

Я как раз выходила из арки, когда раздалась автоматная очередь. Отчаянно закричала женщина, скрипнули тормоза, я взвизгнула от неожиданности, а потом замерла, глядя во все глаза на белый «Мерседес». Его занесло на тротуар, дверцы были открыты, и возле них на асфальте лежали трое мужчин. Из открытых окон огромного джипа, стоявшего метрах в двадцати, по «Мерседесу» сразу несколько человек стреляли из автоматов.

Где-то рядом звякнули стекла, завыли сирены, а я увидела Мирона, он тяжело выбрался из машины, упал на асфальт и тут, должно быть, заметил меня. Вскочил сначала на четвереньки, а потом в полный рост и бросился ко мне.

Улица точно вымерла, даже в окнах не было видно ни одного лица, только я стояла на тротуаре, навстречу мне бежал Мирон, его расстрелянная охрана лежала на асфальте, а автоматная очередь вновь ударила, тяжело и страшно.

Мирон точно поскользнулся, взмахнул руками, лицо его перекосило от боли, он сделал еще несколько шагов, протянул руки и рухнул на асфальт, увлекая меня за собой.

Я закричала, пытаясь высвободиться, и кричала очень долго. Джип исчез за поворотом, стало тихо, и только мой крик рвался сквозь эту тишину.

Кто-то рывком приподнял тело Мирона, и я увидела человека в милицейской форме. Лицо у него было бледным и испуганным, и это, как ни странно, привело меня в чувство.

Я попыталась встать, милиционер протянул руку и спросил:

— Живая?

А я вроде бы кивнула, приподнялась и упала вновь, поскользнувшись в луже крови.

С ужасом посмотрела вокруг: асфальт, стена дома, я сама — все было грязно-красного цвета. А еще запах, он сводил с ума. Я повисла на плечах милиционера, он попытался отстраниться, потому что мои руки были в крови, точно у мясника на бойне. Как видно, ему стало неловко, он помог мне подняться на ноги, но я не удержалась, поскользнулась на бурой жиже и опять упала, и он вместе со мной, а я лежала, смотрела в небо и думала о том, что не хочу сейчас жить. Вот эти минуты, этот час — не хочу.

Потом появилась «Скорая», еще несколько машин: две милицейские и две без опознавательных знаков, кто-то вызвал пожарную, парень с бранд-спойтом недовольно кричал:

— Скоро вы там?

Вокруг беспокойно сновали люди, собралась толпа, ее держали за ограждением, люди жадно заглядывали за плечи впереди стоящих и спрашивали:

— Что случилось?

А я сидела на асфальте, поджав ноги, кровь на сарафане подсохла и стала похожа на корку, кажется, ее можно было ломать руками.

Я сидела и плакала. Женщина-врач подошла ко мне и спросила:

— Вам плохо? Давайте я отведу вас к машине.

Я покачала головой. Следом за ней подошел мужчина в сером костюме.

— Вы видели, что произошло? Кто стрелял?

Я опять покачала головой.

— Я просто шла, вот отсюда, а он упал на меня, — и попросила: — Можно я посижу во дворе? Там скамейка.

— С вами захотят поговорить.

— Я буду в трех шагах, вот там, видите? Мне здесь тяжело.

Он кивнул, и я вошла во двор. Нащупала ключ, потрясла головой, словно отгоняя наваждение, и бросилась к машине Кирилла.

Клуб был закрыт, что неудивительно: часы показывали половину четвертого, слишком рано для ночных заведений.

Я постучала в дверь, открыли сразу, высокий парень с ярко-рыжими волосами вытаращил глаза и молча пропустил меня в коридор.

Из Сашкиного кабинета доносились голоса, я подошла и распахнула дверь. Илья, Сашка и Севка стояли возле стола и пили шампанское.

Я перевела дыхание, посмотрела на всех по очереди, пытаясь вспомнить заготовленные слова, но они застряли в горле.

Первым отреагировал Илья. Он поставил свой бокал и торопливо шагнул ко мне.

— Ася... Господи, что случилось? Ты вся в крови...

— Это не моя кровь, — ответила я.

— А где Кирилл?

— На даче.

Тут дверь открылась, и я увидела Кирилла, он выглядел молодцом, заметив меня, нахмурился и спросил вроде бы испуганно:

— Ты ведь не ранена, нет?

— Я в порядке, — заверила я.

— Ты вся в крови, — повторил Илья и попытался меня обнять, я торопливо отстранилась.

— Испачкаешься. — Он посмотрел внимательно, а я решила пояснить: — Это кровь Мирона. Полчаса назад его расстреляли.

— Как тебя туда занесло? — проворчал Сашка.

— Куда? — хмыкнула я.

— Вот что, маленькая, — сказал Илья, его голос звучал ласково, и он все-таки обнял меня. — Иди, прими душ, ребята привезут одежду, а потом мы...

— Я ехала предупредить тебя, — хохотнула я. — Спасти... сказать, что не знала о твоих письмах.

— Ася...

— Заткнись, пожалуйста, — попросила я.

— У нее истерика, — торопливо влез Сашка, налил воды в стакан и пошел ко мне.

— Стой, где стоишь, — предупредила я. Севка был самым мудрым, голос не подавал, отошел к окну и замер, спиной ко мне. — Ладно, — вздохнула я. — Празднуйте победу, а я пойду в душ.

И пошла. Включила горячую воду и яростно терла себя мочалкой, а потом стояла, просто задрав голову, вздрагивая всем телом и облизывая губы. Вышла из кабинки, растерлась заботливо приготовленным полотенцем и увидела большой пакет с одеждой.

Еще минут пятнадцать я потратила на свой туалет, потом просто сидела, уставившись в одну точку и вроде бы собираясь с силами.

В дверь осторожно постучали, и Сашка позвал:

— Ася...

— Иду, — бодро ответила я и через минуту появилась в кабинете.

— Расскажи, что произошло и почему ты вся была в крови? — попросил Сашка.

Я устроилась в кресле, вздохнула и прояснила ситуацию:

— На Преображенской я оказалась случайно. Выходила со двора, когда услышала выстрелы. К этому моменту в живых остался один Мирон, его охрана лежала на асфальте. Он увидел меня и побежал навстречу. Должно быть, решил, что они не рискнут стрелять, когда я рядом, а может, надеялся взять меня в заложники... — Я усмехнулась, Севка повернулся ко мне, но под моим взглядом торопливо отвел глаза.

— Я отправил тебя на дачу, чтобы избавить от подобных переживаний, — заметил Сашка, изо всех сил желая выглядеть заботливым братом. — Какого черта ты на меня так смотришь? — через минуту не выдержал он.

— Илья, пистолет в твою машину подложил Сашка, — сказала я со вздохом, он кивнул и ответил:

— Конечно.

А я засмеялась:

— Только не говори, что ты нарочно сел в тюрьму...

— Ася...

— Илья, расскажи ей все, — нахмурился мой брат. — Теперь можно.

— Кажется, мне и так все ясно. — Я внимательно посмотрела на мужа и покачала головой. — Ты наступал старичкам на пятки, и они предложили встретиться, так? Только одним из охранников оказался Сашкин армейский дружок, поэтому тебе удалось пройти с оружием. Ты перестрелял всех, в том числе и дружка...

— Нет, — вмешался Сашка и даже вроде бы разозлился, так ему стало обидно. — Его ранил другой охранник, но мы справились с ситуацией.

— Добили его в больнице, — усмехнулась я.

Мужчины весело переглянулись, а потом уставились на Кирилла. Тот лучезарно улыбнулся.

— С ума сойти! — подивилась я. — Ловко вы все обстряпали. А что с твоей физиономией?

Кирилл пожал плечами.

— Были бы деньги, а смена физиономии не проблема.

— Это точно, — согласилась я. — Не так давно я была в Чебоксарах, живет там одна женщина, совершенно одинокая, пять лет назад у нее убили сына... впрочем, о таких пустяках даже говорить совестно... Как, например, и об Андрее. Парню не повезло, он оказался идеальной фигурой на роль жертвы. Жил в трех шагах от Катинской, при необходимости все можно было свалить на ревность, ведь мы часто встречались...

— Послушай... Ты не понимаешь, — начал Илья. — Все очень серьезно...

— Еще бы, — согласилась я. — Расстрел авторитетов был исключительно дерзким поступком, и шансов остаться в живых у задумавших такое практически не было. Не знаю, кого из вас озарило с подобным алиби, но он, безусловно, гений. Пока Илья разделывался с врагами, Сашка застрелил Андрея, подбросил в машину Ильи пистолет и вызвал милицию. Громкое дело об убийстве на почве ревности. Кому придет в голову, что на Катинской стрелял Илья? А тут еще верный друг Севка, большой специалист по заметанию следов. Поздравляю, ребята, у вас классная команда. Думаю, вы добились, чего хотели.

К этому моменту веселья в них поубавилось, все молчали, что дало мне возможность продолжить:

— Когда речь идет о том, кто будет хозяином в городе, такие пустяки, как смерть Андрея, не в счет. Не в счет бывший соратник Володя, который оставался верен тебе, Илья, все пять лет, не в счет Лерка...

— Прекрати! — рявкнул Сашка. — Она была

истеричкой, каждый день грозилась, что перережет вены...

— Дай ей выговориться, — перебил Илья.

— Да я, собственно, уже закончила. Нет смысла перечислять всех... Что они могут значить? Эти люди и те пять лет, что я ждала тебя и пыталась понять, за что ты меня бросил...

— Прости, но это была единственная возможность обезопасить тебя. Тогда все было гораздо сложнее, чем ты думаешь. Я не имел шансов вернуться живым с этой встречи. Выбирать не приходилось. Ты понимаешь? Все было очень непросто, вплоть до сегодняшнего дня. Все могло сорваться, даже несколько часов назад... Я мог рисковать своей жизнью, но только не твоей. Если бы какой-нибудь умник заподозрил... Я не мог рисковать тобой, — повторил Илья, а я подумала: «Может, мне прослезиться?» — Ася, я люблю тебя, — сказал он. — И я верил, что ты любишь меня, по-настоящему. И справишься.

— Наверное, ты меня переоценил, — заметила я, поднимаясь. — Что ж, мой бывший муж, бывший друг, любимый старший брат и ты... Кирилл, или Дима, уж и не знаю... Примите мои поздравления. — Я пошла к двери, Илья торопливо поднялся.

— Прекрати все это. Мы сейчас поедем домой, спокойно все обсудим...

— Видишь ли, — сказала я и неожиданно засмеялась, потом вздохнула и продолжила: — Я в самом деле очень любила тебя. И многое могла бы простить. Почти все. Наверное, я плохой человек, и с моралью у меня проблемы, я бы смогла. Все, кроме одного: ты меня бросил. Ты оставил меня на пять лет подыхать каждую ночь в холодной постели... из-за паршивых денег, или не менее паршивой власти, или... черт с ним, не важно... Ты сделал свой выбор.

— В тебе говорит обида, — с грустью заметил он.

— Точно. Еще какая. Не стоило тебе оставлять меня. Знаешь, это опасная штука. Я привыкла и... научилась обходиться без тебя.

Я взялась за ручку двери, а он позвал:

— Ася...

— Ей надо успокоиться, — влез Сашка.

— Хорошо, — нахмурился Илья. — Отправляйся домой, я сейчас приеду.

А я кивнула:

— Лучше позвони мне... лет через пять.

Я шла по улице и улыбалась, должно быть, спятила. Я думала об Илье, о своем брате и Севке и честно пыталась их понять. И не могла. Потом вспомнила, что ничего не знаю о Гаврилове, и забеспокоилась: как он там?

Через дорогу была стоянка такси, и я туда заспешила, все еще пребывая в задумчивости и игнорируя пешеходный переход.

Дико скрипнули тормоза, я вздрогнула и в трех шагах от себя увидела машину. Дверь открылась, оттуда высунулся парень и матерно обругал меня.

— Извините, — пролепетала я, пятясь к тротуару.

— Чертовы самоубийцы! — крикнул он.

— Извините, — еще раз повторила я. — Просто я хотела попасть на стоянку такси и немного задумалась.

Я торопливо зашагала по тротуару, а парень меня окликнул:

— Эй, ты же такси хотела! Стоянка вон там.

— Спасибо, — опомнилась я и с опаской поглядела на дорогу.

Парень вышел из машины и пожаловался:

— Напугала до смерти. — Голос его звучал миролюбиво.

— Извините, — дожидаясь, когда загорится зеленый свет, повторила я.

— Тебе в какую сторону? — вдруг спросил он. А я задумалась: куда я собиралась?..

— Не знаю, — ответила я честно.

— Так, может, я тебя отвезу? — улыбнулся он.

— Почему бы и нет? — в ответ улыбнулась я.

Литературно-художественное издание

Полякова Татьяна Викторовна
ЖЕСТОКИЙ МИР МУЖЧИН

Редактор *В. Татаринов*
Художественный редактор *С. Груздев*
Технический редактор *Н. Носова*
Компьютерная верстка *Л. Панина*
Корректор *Е. Дмитриева*

ООО «Издательство «Эксмо»
127299, Москва, ул. Клары Цеткин, д. 18/5. Тел.: 411-68-86, 956-39-21.
Home page: **www.eksmo.ru**   E-mail: **info@eksmo.ru**

Оптовая торговля книгами «Эксмо» и товарами «Эксмо-канц»:
ООО «ТД «Эксмо». 142700, Московская обл., Ленинский р-н, г. Видное,
Белокаменное ш., д. 1, многоканальный тел. 411-50-74.
E-mail: **reception@eksmo-sale.ru**

Полный ассортимент книг издательства «Эксмо» для оптовых покупателей:
В Санкт-Петербурге: ООО СЗКО, пр-т Обуховской Обороны, д. 84E.
Тел. отдела реализации (812) 265-44-80/81/82.
В Нижнем Новгороде: ООО ТД «Эксмо НН», ул. Маршала Воронова, д. 3.
Тел. (8312) 72-36-70.
В Казани: ООО «НКП Казань», ул. Фрезерная, д. 5. Тел. (8435) 70-40-45/46.
В Самаре: ООО «РДЦ-Самара», пр-т Кирова, д. 75/1, литера «Е». Тел. (846) 269-66-70.
В Екатеринбурге: ООО «РДЦ-Екатеринбург», ул. Прибалтийская, д. 24а.
Тел. (343) 378-49-45.
В Киеве: ООО ДЦ «Эксмо-Украина», ул. Луговая, д. 9. Тел./факс: (044) 537-35-52.
Во Львове: Торговое Представительство ООО ДЦ «Эксмо-Украина»,
ул. Бузкова, д. 2. Тел./факс: (032) 245-00-19.

Мелкооптовая торговля книгами «Эксмо» и товарами «Эксмо-канц»:
117192, Москва, Мичуринский пр-т, д. 12/1. Тел./факс: (495) 411-50-76.
127254, Москва, ул. Добролюбова, д. 2. Тел.: (495) 745-89-15, 780-58-34.

Полный ассортимент продукции издательства «Эксмо»:
В Москве в сети магазинов «Новый книжный»:
Центральный магазин — Москва, Сухаревская пл., 12 . Тел.: 937-85-81, 780-58-81.
В Санкт-Петербурге в сети магазинов «Буквоед»:
«Магазин на Невском», д. 13. Тел. (812) 310-22-44.

Подписано в печать 02.03.2006.
Формат 70x90 $^1/_{32}$. Гарнитура «Таймс».
Печать офсетная. Усл. печ. л. 11,7. Уч.-изд. л. 11,41
Доп. тираж 7000 экз. Заказ № 1772.

ОАО "Тверской полиграфический комбинат", 170024, г. Тверь, пр-т Ленина, 5.
Телефон: (4822) 44-52-03, 44-50-34, Телефон/факс: (4822) 44-42-15
Интернет/Home page - www.tverpk.ru Электронная почта (E-mail) -sales@tverpk.ru

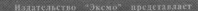